08·09·09

L'hypothyroïdie

expliquée

Catalogage avant publication de Bibliothèque
et Archives nationales du Québec et Bibliothèque
et Archives Canada

Frenette, Gisèle

    L'hypothyroïdie expliquée
    (Collection Santé)
    ISBN 978-2-7640-1466-0
    1. Hypothyroïdie – Ouvrages de vulgarisation. I. Titre.
II. Collection: Collection Santé (Éditions Quebecor).

RC657.F73 2009   616.4'44   C2009-940733-7

Dépôt légal: 2009
Bibliothèque et Archives nationales du Québec

Pour en savoir davantage sur nos publications,
visitez notre site: www.quebecoreditions.com

Éditeur: Jacques Simard
Conception de la couverture: Bernard Langlois
Illustration de la couverture: GettyImages
Conception graphique: Sandra Laforest
Infographie: Claude Bergeron

Imprimé au Canada

DISTRIBUTEURS EXCLUSIFS:

• Pour le Canada et les États-Unis:
  MESSAGERIES ADP*
  2315, rue de la Province
  Longueuil, Québec J4G 1G4
  Tél.: (450) 640-1237
  Télécopieur: (450) 674-6237
  * une division du Groupe Sogides inc.,
  filiale du Groupe Livre Quebecor Média inc.

• Pour la France et les autres pays:
  INTERFORUM editis
  Immeuble Paryseine, 3, Allée de la Seine
  94854 Ivry CEDEX
  Tél.: 33 (0) 4 49 59 11 56/91
  Télécopieur: 33 (0) 1 49 59 11 33

  Service commande France
  Métropolitaine
  Tél.: 33 (0) 2 38 32 71 00
  Télécopieur: 33 (0) 2 38 32 71 28
  Internet: www.interforum.fr

  Service commandes Export –
  DOM-TOM
  Télécopieur: 33 (0) 2 38 32 78 86
  Internet: www.interforum.fr
  Courriel: cdes-export@interforum.fr

• Pour la Suisse:
  INTERFORUM editis SUISSE
  Case postale 69 – CH 1701 Fribourg –
  Suisse
  Tél.: 41 (0) 26 460 80 60
  Télécopieur: 41 (0) 26 460 80 68
  Internet: www.interforumsuisse.ch
  Courriel: office@interforumsuisse.ch

  Distributeur: OLF S.A.
  ZI. 3, Corminboeuf
  Case postale 1061 – CH 1701 Fribourg –
  Suisse

  Commandes: Tél.: 41 (0) 26 467 53 33
  Télécopieur: 41 (0) 26 467 54 66
  Internet: www.olf.ch
  Courriel: information@olf.ch

• Pour la Belgique et le Luxembourg:
  INTERFORUM BENELUX S.A.
  Fond Jean-Pâques, 6
  B-1348 Louvain-La-Neuve
  Tél.: 00 32 10 42 03 20
  Télécopieur: 00 32 10 41 20 24

Gouvernement du Québec – Programme de crédit d'impôt pour l'édition
de livres – Gestion SODEC.

L'Éditeur bénéficie du soutien de la Société de développement des entre-
prises culturelles du Québec pour son programme d'édition.

Nous reconnaissons l'aide financière du gouvernement du Canada par
l'entremise du Programme d'aide au développement de l'industrie de
l'édition (PADIÉ) pour nos activités d'édition.

Gisèle Frenette

L'hypothyroïdie
expliquée

Traitements
et solutions

LES ÉDITIONS
Quebecor
Une compagnie de Quebecor Media

De la même auteure

Intolérance au gluten, Édimag, 2003, 2006.
Dites non à la douleur: l'approche naturelle, Édimag, 2004.
Tout sur la santé de l'intestin, Éditions Quebecor, 2007.

auteure@gisele-frenette.ca

Avis important

Ce livre a pour but de vous informer et de vous aider à prendre des décisions judicieuses et éclairées concernant votre santé. Bien qu'il puisse guider votre recherche et vous aider à poser les questions appropriées, il ne doit en aucun cas remplacer l'avis d'un médecin compétent.

Les vitamines, les minéraux et les adjuvants phytothérapeutiques, même s'ils sont naturels, peuvent être la cause d'une réaction allergique, d'un surdosage ou d'une interaction avec certains médicaments. Il est donc important de s'assurer les soins éclairés d'un professionnel de la santé.

L'éditeur et l'auteure déclinent toute responsabilité en ce sens.

Introduction

Fait bien médiatisé, le diabète atteint des proportions quasi épidémiques et sème l'émoi sur tous les continents. En effet, l'Organisation mondiale de la santé (OMS) estime qu'il y a plus de 180 millions de diabétiques sur la planète. Cependant, un examen plus approfondi des statistiques dévoilera que les maladies de la glande thyroïde ont elles aussi des effets ravageurs. Épidémie silencieuse, les troubles thyroïdiens affligent une portion importante de la population. La Fondation canadienne de la thyroïde souligne que 200 millions de personnes dans le monde sont atteintes d'une maladie de la glande thyroïde.

Bien que ce sujet fasse couler moins d'encre que les thèmes du diabète ou du cancer, il faut savoir que, au Canada, une personne sur 20 souffre d'une affection thyroïdienne, et que celle-ci est de cinq à sept fois plus fréquente chez les femmes. Peu importe l'état de santé ayant précédé le diagnostic, d'une hyperthyroïdie à un cancer de la glande thyroïde, le résultat final est la plupart du temps un ralentissement de cette glande endocrine, c'est-à-dire l'hypothyroïdie. C'est d'ailleurs pourquoi ce livre se concentrera prioritairement sur ce sujet.

La fatigue, le gain de poids, la constipation et les troubles de la mémoire sont des symptômes communs des gens d'aujourd'hui. Pour cette raison, et pour plusieurs autres dont nous discuterons dans cet ouvrage, l'hypothyroïdie est souvent confondue avec la dépression, la maladie intestinale, le trouble hormonal dû à la pré-ménopause et à la ménopause, de même qu'au phénomène du vieillissement. Même lorsque l'hypothyroïdie est détectée, l'attitude est souvent de la reléguer au titre de maladie facile à traiter à l'aide d'une petite pilule quotidienne. Ce livre vous révélera que, au fond, tout n'est pas aussi simple.

L'hypothyroïdie peut fort bien être considérée comme une maladie tranquille, si ce n'est que de par la langueur ressentie par la personne qui en souffre. Toutefois, la vérité est tout autre ! En fait, les hormones thyroïdiennes ont un effet sur chaque cellule du corps, ce qui exige que le fonctionnement de la glande thyroïde soit à point. Son dysfonctionnement interfère avec l'efficacité de l'ensemble des glandes endocriniennes. Cela explique pourquoi les symptômes de l'hypothyroïdie se font ressentir dans presque tous les systèmes du corps. De la simple fatigue à l'épuisement, de l'insomnie à la dépression, du léger embonpoint à l'obésité morbide, de la frilosité à la maladie de Raynaud, du manque de concentration à la confusion, du cycle menstruel irrégulier à l'infertilité, l'hypothyroïdie peut être impliquée.

Tout au cours de votre lecture, vous apprendrez à connaître la glande thyroïde sous toutes ses facettes : ses rôles et ses fonctions, les symptômes anormaux, les tests de détection de la maladie thyroïdienne, les médicaments impliqués, les gens à risque, les antagonistes et, bien entendu, les changements à apporter à son alimentation et à son style de vie pour mieux vivre avec l'hypothyroïdie.

Ce livre est dédié à toutes les personnes qui souffrent d'hypothyroïdie franche, et à toutes celles qui, malgré une solution médicamenteuse quotidienne, continuent de souffrir de plusieurs symptômes déplaisants, parfois même pénibles. Il concerne également les individus qui ont été avisés par leur médecin traitant que leur thyroïde commence à faire défaut (hypothyroïdie subclinique), ainsi que tous ceux qui cherchent encore un diagnostic et qui se reconnaîtront en cours de lecture. Il s'adresse aussi aux proches de ces personnes, car il a pour but de tester et d'élargir votre champ de connaissances au sujet de la glande thyroïde, et plus précisément de l'hypothyroïdie. La glande thyroïde, que bien des gens pensent connaître, vous dévoile ici ses humbles secrets.

Chapitre 1

Le système endocrinien

Tous les jours, des milliers de chercheurs dans le monde se consacrent à l'étude du corps humain. Celui-ci est assurément d'une grande complexité, et les recherches offrent souvent plus de questions que de réponses. Le corps humain est composé de plusieurs systèmes complexes qui collaborent au maintien de son intégrité.

L'un d'eux est le système endocrinien. Il est constitué de glandes qui contrôlent et qui régularisent les activités métaboliques de l'organisme. Les glandes sont réparties de part et d'autre dans le corps : l'hypophyse dans la boîte crânienne, la glande thyroïde au niveau du cou, le pancréas et les glandes surrénales dans l'abdomen, et les gonades dans le bassin. Bien qu'éloignées les unes des autres, les glandes doivent travailler en synergie car chacune a une influence sur l'autre. Si une glande n'effectue pas son travail correctement, toutes les autres pourront en être affectées. Prenons comme exemple un trouble bien connu qui implique le pancréas, l'hypoglycémie. Une baisse exagérée et répétée du sucre sanguin engage tant le foie que les glandes surrénales qui, à force de compenser pour le pancréas, s'épuiseront progressivement, ce qui viendra compromettre le bon fonctionnement d'autres glandes comme la thyroïde.

Une glande est un organe dont la fonction est de produire une sécrétion. Les glandes endocrines sécrètent des substances chimiques appelées hormones qui agissent comme des messagers chimiques. Celles-ci sont déversées directement dans la circulation sanguine et voyagent dans tout l'intérieur du corps, contrairement aux glandes exocrines qui, elles, sécrètent des substances vers l'extérieur de l'organisme par un canal excréteur (glandes sudoripares, salivaires, sébacées). C'est grâce aux hormones que les glandes endocrines régularisent de nombreuses activités du corps comme la croissance, la reproduction, le métabolisme, la pression artérielle, la glycémie, l'équilibre des fluides et la réparation des tissus.

Le corps humain est contrôlé par les glandes du système endocrinien : l'hypophyse, la thyroïde, les parathyroïdes, le pancréas, les surrénales, les ovaires et les testicules. Le pancréas est considéré comme une glande mixte, en partie exocrine, car il sécrète des enzymes digestives dans le duodénum, et en partie endocrine, parce qu'il produit le glucagon et l'insuline. Ce bref aperçu de physiologie nous mène au sujet qui nous préoccupe, la thyroïde, sans oublier l'hypophyse et l'hypothalamus sans lesquels toute activité thyroïdienne serait impossible.

L'hypophyse

L'hypophyse, autrefois appelée la glande pituitaire, est une glande de la taille d'un petit pois située à la base du cerveau. Cette glande endocrine est sous le contrôle de l'hypothalamus auquel elle est attachée par la tige pituitaire. L'hypophyse est souvent considérée comme la «glande maîtresse» ou le «chef d'orchestre» du système endocrinien, car elle sécrète plusieurs hormones qui agissent sur le fonctionnement d'autres glandes endocrines, entre autres la thyréostimuline, ou TSH (*thyroid stimulating hormone*), qui stimule la synthèse et la libération des hormones thyroïdiennes. La suppression de l'hypophyse réduit de 90 % l'activité de la glande thyroïde.

L'hypothalamus

L'hypothalamus, petite région du cerveau située au-dessus de l'hypophyse, est le principal régulateur du système endocrinien. Des cellules nerveuses de l'hypothalamus fabriquent des facteurs de libération qui doivent agir sur les cellules de l'hypophyse afin qu'elles puissent émettre leurs hormones. Ensemble, l'hypophyse et l'hypothalamus contrôlent de nombreux aspects du métabolisme du corps. Dans le cas de la thyroïde, l'hypothalamus sécrète l'hormone thyréolibérine, ou TRH (*thyrotropin-releasing hormone*), qui, à son tour, stimule l'hypophyse à libérer la thyréostimuline (TSH).

Figure 1 Anatomie

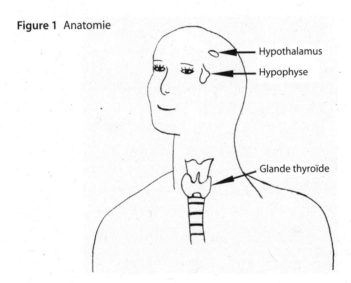

Hypothalamus

Hypophyse

Glande thyroïde

Ce double contrôle hypophysaire et hypothalamique permet de maintenir une sécrétion d'hormones relativement constante tant que les conditions environnantes restent semblables. Si les circonstances externes changent (alimentation déficiente ou excessive, exposition au froid, niveau de stress, grossesse), ces nouvelles données seront transmises par le système nerveux central à l'hypothalamus qui s'occupera de réajuster la sécrétion hormonale selon le besoin.

La glande thyroïde

La thyroïde est une petite glande située à la partie antérieure du cou ; elle repose devant les premiers anneaux de la trachée, juste en dessous du larynx. Elle est formée de deux lobes ressemblant à des ailes de papillon qui sont reliés par une masse de tissu appelée isthme. La thyroïde est la plus volumineuse des glandes purement endocrines (puisque le pancréas est une glande mixte). D'une hauteur d'environ 4 cm, chaque lobe mesure environ de 1 cm à 2 cm de largeur. Elle pèse en moyenne de 20 g à 30 g et légèrement plus chez les femmes. En cas de goitre (augmentation du volume de la thyroïde), son poids peut atteindre de 100 g à 150 g.

La thyroïde est un organe richement vascularisé, ce qui peut compliquer les interventions chirurgicales qui la touchent. Comme les cordes vocales sont rattachées, à l'avant, au cartilage thyroïde, une chirurgie à la glande thyroïde peut modifier la voix, mais ce trouble est habituellement passager. La raucité de la voix s'atténuera peu à peu. La rééducation orthophonique assurera une récupération de la voix dans les rares cas où la blessure d'un nerf aura occasionné une paralysie de la corde vocale.

Les hormones sécrétées par la glande thyroïde sont indispensables à la vie, car elles permettent de régulariser l'ensemble des fonctions de l'organisme. En fait, le champ d'action des hormones thyroïdiennes est tellement vaste qu'elles affectent presque tous les organes (les cellules) du corps, tant le cerveau, le cœur, les os que la peau. Seuls certains organes adultes, dont la rate, les testicules, l'utérus et la glande thyroïde elle-même, semblent échapper à l'influence des hormones thyroïdiennes.

Les facteurs hormonaux

On a pu retracer l'histoire de la glande thyroïde jusqu'en Chine, à plus de 5000 ans passés. La première mention des goitres remonte à l'an 2800 av. J.-C., alors que vers l'an 1600 av. J.-C., des médecins chinois traitaient ceux-ci à l'aide d'algues et d'éponges marines calcifiées. La glande thyroïde fut enfin baptisée par l'anatomiste Thomas Wharton (1617-1673), à Londres, en 1656. Ce n'est qu'en 1910 que le chimiste américain Edouard Calvin Kendall (1886-1972) a identifié la thyroxine (T4). L'hormone T3 a été découverte en 1952 par le biologiste français Jean Roche (1901-1992).

Les fonctions primaires de la glande thyroïde sont la production, le stockage et la libération des hormones thyroïdiennes. La quantité de ces hormones fabriquée par la glande thyroïde doit compenser pour la quantité utilisée par les cellules. Ses deux hormones principales sont la thyroxine, ou T4 (aussi appelée tétraiodothyronine), et la triiodothyronine, ou T3. Une glande thyroïde en santé produit environ 80 % de T4 et 20 % de T3. On sait maintenant que la thyroïde fabrique aussi les facteurs hormonaux T2 (diiodothyronine) et T1 (monoiodothyronine). Bien que certains chercheurs affirment que les T1 et T2 sont des hormones inertes, d'autres présument que notre corps doit les produire pour une raison. Une de ces fonctions serait de fixer l'iode dans la thyroïde. Des études ont d'ailleurs démontré que l'hormone T2 augmente le taux du métabolisme.

Les hormones thyroïdiennes triiodothyronine (T3) et thyroxine (T4) contiennent respectivement trois et quatre atomes d'iode par molécule. La glande thyroïde a absolument besoin d'iode pour assurer la synthèse des hormones thyroïdiennes. L'iode doit provenir de l'alimentation, puisque le corps est incapable de le synthétiser autrement. Les besoins quotidiens chez l'adulte sont de 150 à 200 microgrammes (µg). Comme la totalité du sang est filtré dans la thyroïde toutes les 17 minutes, une grande partie de l'iode en déplacement est capté à son passage. La concentration d'iode en disponibilité dans le corps est directement liée au bon fonctionnement de la glande thyroïde. Une carence ou un surplus de cet oligoélément dans l'organisme peut se traduire en un dérèglement du taux d'hormones thyroïdiennes en circulation. Si la situation persistait, des symptômes d'hypothyroïdie ou d'hyperthyroïdie feraient leur apparition. Le sujet de l'iode sera repris dans un chapitre ultérieur.

La thyroxine, ou T4, est considérée comme une hormone précurseur ou de stockage. La forme la plus active des hormones thyroïdiennes est la T3 ; elle serait quatre fois plus active que son précurseur. Bien que la glande thyroïde produise une certaine quantité de T3, le reste se convertit à partir de l'hormone T4. Cette conversion (de T4 à T3) aura lieu principalement dans le foie, bien que d'autres organes périphériques tels que les reins, la rate, les poumons, l'hypophyse et les muscles peuvent aussi effectuer la transformation. Ce processus enzymatique se nomme la désiodation. Presque tous les tissus du corps contiennent des enzymes appelées les déiodinases qui enlèvent un atome d'iode de la T4 pour le convertir en T3. Les hormones sont ensuite stockées dans les vésicules thyroïdiennes jusqu'à une stimulation de l'hypophyse.

La plupart des hormones thyroïdiennes circulant dans le sang sont liées à des protéines de transport, soit la TBG – globuline de liaison de la thyroxine (*thyroid binding globulin*), la TBPA –, la préalbumine fixant la thyroxine (*thyroid binding prealbumin*) et l'albumine. Seule une petite fraction (< 1 %) circule sous forme libre. Les hormones thyroïdiennes libres (non liées aux protéines) vont circuler dans le sang, pénétrer dans le noyau des cellules et influencer presque toutes les fonctions métaboliques de l'organisme.

On réalise finalement que le mécanisme de la glande thyroïde n'est pas si simple. Plusieurs organes sont impliqués dans son bon fonctionnement. On peut comparer le mécanisme d'action du corps à un thermostat de maison qui est réglé à démarrer lorsque l'air ambiant atteint une certaine température. Il démarrera, réchauffera la maison, puis s'arrêtera de lui-même au moment où la température aura atteint le but fixé. Il redémarrera au besoin. Tout comme le thermostat est réglé à un certain degré, le corps requiert une certaine concentration d'hormones thyroïdiennes dans le sang pour répondre à ses besoins. Le processus enclenché pour y parvenir est sous le contrôle de l'axe hypothalamo-hypophysaire.

En résumé :

- L'hypothalamus détecte un besoin d'hormones T4 et T3 dans le sang.

- Il sécrète l'hormone thyréolibérine, ou TRH, qui va stimuler l'hypophyse.

- L'hypophyse répond en libérant l'hormone thyréostimuline (TSH) qui va stimuler la thyroïde.

- L'augmentation de TSH incite la thyroïde à produire, à stocker et à libérer plus de T4 et de T3.

- Les hormones T4 sont converties en T3 par certains organes, dont le foie. Les taux sanguins de T3 et de T4 sont normalisés.

- Les hormones thyroïdiennes libres vont influencer d'autres réactions métaboliques dans tout l'organisme.

Plusieurs facteurs peuvent influencer l'activité thyroïdienne. Un dérèglement de l'hypophyse, de l'hypothalamus, du système immunitaire, du foie ou des glandes surrénales, l'exposition à certains médicaments et polluants, une carence ou un excès d'iode, la grossesse, le stress, l'épuisement et les changements de saison peuvent tous perturber le rendement de la glande thyroïde. Nous aborderons chacun de ces éléments un peu plus loin dans le livre.

Ses rôles et ses fonctions

La glande thyroïde est le régulateur central de notre organisme ; elle contrôle le métabolisme de toutes les cellules de notre corps. Chaque cellule dépend des hormones thyroïdiennes pour faire son travail. L'activité hormonale de la glande thyroïde commence peu après la conception et continue jusqu'à la mort. La thyroïde doit s'adapter à toutes les situations auxquelles le corps est soumis, à tout instant.

Les hormones thyroïdiennes remplissent un rôle primordial dans plusieurs fonctions du corps et affectent tous les systèmes du corps :

- Elles participent au métabolisme des hydrates de carbone, des protéines et des lipides (influe le taux de cholestérol sanguin) ;
- Elles aident à convertir l'oxygène en énergie ;
- Elles assurent le développement neurologique et intellectuel du fœtus, ainsi que la croissance normale de l'enfant ;
- Elles jouent un rôle dans le développement sexuel et la reproduction ;
- Elles sont nécessaires à la lactation normale ;
- Elles contrôlent la vitesse d'éruption des dents chez les nouveau-nés ;
- Elles soutiennent la croissance des cheveux, des ongles et de la peau ;
- Elles ont un effet sur les systèmes respiratoire et cardiaque (rythme cardiaque, pression artérielle) ;
- Elles altèrent la motilité intestinale, ce qui assure la digestion et l'élimination ;
- Elles favorisent l'ossification normale du squelette ;
- Elles contrôlent la contraction musculaire ;
- Elles régularisent la production de chaleur du corps (température corporelle) ;
- Elles favorisent la myélinisation, c'est-à-dire la formation d'une gaine autour des fibres nerveuses ;
- Elles ont un effet sur le fonctionnement du système nerveux central (fatigue, anxiété, dépression) ;

- Elles affectent la formation des cellules sanguines, le nombre de globules rouges et le métabolisme du fer (anémie).

Après avoir pris connaissance des nombreuses fonctions de la glande thyroïde, la longue liste des symptômes qui peuvent se manifester lorsque son fonctionnement est compromis devient plus compréhensible, mais non moins inquiétante. Cette petite glande méconnue mérite d'être mieux étudiée. La médecine allopathique semble lui accorder une part d'attention, mais depuis plusieurs décennies, il y a peu de changements au traitement. Est-ce parce que le traitement actuel est très efficace? Il semble que non, car un grand nombre de personnes atteintes de troubles thyroïdiens souffrent toujours de plusieurs symptômes aggravants, même si leur état est prétendument «contrôlé» par la prise d'un médicament approprié. C'est en posant des questions et en exigeant des réponses précises que les patients inciteront le système de santé à s'intéresser plus sérieusement aux maladies de la glande thyroïde.

Les parathyroïdes

Il paraît important de mentionner les parathyroïdes, car leur nom peut porter à confusion. Ces petites glandes de la grosseur d'un pois, de couleur jaune brun, sont incrustées sur la face postérieure de la glande thyroïde. Habituellement au nombre de quatre, plus rarement de huit, elles sont posées deux par deux sur les lobes latéraux du corps de la thyroïde. On en a trouvé ailleurs que sur la thyroïde, et parfois même dans le thorax, au niveau du médiastin.

Les parathyroïdes ont été découvertes par hasard. À la suite de l'ablation partielle ou totale de la glande thyroïde, les chirurgiens constataient que certains patients se rétablissaient parfaitement, alors que d'autres présentaient des spasmes musculaires incoercibles, souffraient de douleurs intenses et glissaient rapidement vers la mort. Après un certain nombre de décès, on a décelé l'existence des glandes parathyroïdes. Les crises de tétanie étaient causées par une chute brutale du taux de calcium dans le sang.

Les glandes parathyroïdes maintiennent l'équilibre du calcium et du phosphore dans le sang. Elles sécrètent la parathormone, aussi appelée l'hormone parathyroïdienne, qui augmente le taux de calcium et diminue le phosphate. Une sécrétion insuffisante de parathormone peut mener à une hypocalcémie et à une hyperexcitabilité nerveuse accompagnée de crampes musculaires (tétanie). Une hypersécrétion peut causer une augmentation de la calcémie et une décalcification osseuse entraînant des fractures spontanées.

Il est important de noter que les parathyroïdes et la thyroïde sont des glandes distinctes. La glande thyroïde peut être malade sans affecter le fonctionnement des parathyroïdes, et vice versa. Elles peuvent être menacées au moment d'une intervention chirurgicale à la glande thyroïde; il est essentiel que le chirurgien veille à ne pas blesser les parathyroïdes durant une thyroïdectomie.

Les glandes surrénales

Les surrénales sont des glandes endocrines en forme de triangle situées sur le sommet de chaque rein. Souvent appelées «les glandes du stress», elles doivent aider l'organisme à gérer toutes les situations stressantes, que ce soit un accident, une maladie, le travail ou les troubles relationnels. Bien que les glandes surrénales sécrètent plusieurs hormones essentielles à la vie, le cortisol et l'adrénaline sont les principales responsables de la gestion du stress.

De nos jours, notre rythme de vie trépidant fait que plusieurs personnes souffrent de fatigue surrénalienne. Dans un monde parfait, les périodes de stress devraient être occasionnelles et temporaires. Malheureusement, ce n'est pas toujours le cas. Devant faire face aux stress physique, émotionnel et psychologique, les réserves surrénaliennes finissent par s'épuiser. De plus, chaque personne naît avec un potentiel surrénalien différent. Alors que certaines personnes semblent inébranlables quoi qu'il leur arrive, d'autres s'écrasent à la moindre confrontation. Personne n'est à l'abri, car bien que certains aient une grande résistance au stress, tout le monde peut atteindre sa limite à un moment donné.

Il existe un genre de système de collaboration entre les glandes surrénales et la glande thyroïde. Rappelons-nous que les glandes ne travaillent jamais séparément ; chacune n'est qu'un maillon d'une chaîne. Elles sont indissociables : chaque glande influence le fonctionnement de l'autre. Il semble y avoir un délicat équilibre entre la thyroïde et les surrénales. La fatigue surrénalienne peut, en fait, empirer certains troubles thyroïdiens. Pour ne citer qu'un exemple, lorsque les taux de cortisol sont très élevés, le processus de conversion de la thyroxine (T4) en hormone T3 peut être altéré. Du coup, l'état des glandes surrénales affecte sérieusement la disponibilité d'hormones thyroïdiennes libres. Il arrive donc qu'en traitant les glandes surrénales, la thyroïde reprenne de la vigueur.

Les tests de laboratoire standards pour les glandes surrénales sont capables de détecter les valeurs très basses (maladie d'Addison) ou très élevées (maladie de Cushing). Si vos résultats se situent entre ces deux extrêmes, ils seront considérés comme normaux. Le grand écart entre les valeurs très basses et très élevées laisse beaucoup de place à l'interprétation. Utilisons des chiffres fictifs pour mieux comprendre : 1 étant très bas, 10 étant très élevé. Logiquement, on peut déduire qu'un résultat près de 5 serait préférable. Mais qu'arrive-t-il si vous êtes à 2 ou à 8? On pourrait inférer que vos glandes surrénales ont grand besoin d'aide. Néanmoins, alors que vous démontrez sûrement plusieurs symptômes qui vous ont dirigé vers la consultation médicale, on vous dira que tout va bien, que vos résultats sont dans la «limite de la normale».

En réalité, des millions de personnes souffrent d'hypoadrénie, autrement dit d'un dysfonctionnement des glandes surrénales. Ce trouble survient lorsque les glandes surrénales, épuisées par trop de stress, réduisent leur production d'hormones, particulièrement de cortisol. Bien que moins sérieuse que la maladie d'Addison (4 cas sur 100 000), la fatigue surrénalienne, avec son grand éventail de symptômes, peut vraiment rendre la vie difficile, voire insoutenable. Certaines personnes en arrivent à ne plus pouvoir se lever du lit. Bien que son principal symptôme soit la fatigue, une hypoadrénie qui s'aggrave peut éventuellement affecter tous les systèmes du corps. Lorsqu'on consulte un médecin, la fatigue étant un symptôme qui accompagne une multitude d'affections, la recherche d'un diagnostic peut s'avérer un long processus. Comme la fatigue surrénalienne non addisonienne n'est pas une maladie en soi et qu'aucun test de laboratoire ne puisse la confirmer, les médecins sont souvent déroutés face à ce syndrome. Entraînés à établir un diagnostic à l'aide d'un bilan de santé, la simple fatigue surrénalienne ne sera reconnue que par un petit nombre de médecins. D'autres professionnels de la santé comme les naturopathes et les acupuncteurs seront plus aptes à reconnaître la vraie nature de ces symptômes. Des changements au style de vie, que ce soit de la gestion du stress, des habitudes de vie ou de l'alimentation, seront au programme. Nous verrons comment soutenir les glandes surrénales au chapitre 6.

Plusieurs symptômes liés à l'épuisement des glandes surrénales sont très semblables à ceux des troubles thyroïdiens : fatigue, prise de poids, nervosité, anxiété, dépression, faible résistance au stress, baisse de libido, troubles prémenstruels, troubles de la mémoire, constipation ou diarrhée, allergies, mains et pieds froids. Malgré cette similitude symptomatique, la fatigue ressentie pendant un hypofonctionnement thyroïdien est généralement moins importante le matin et augmente au fur et à mesure que la journée avance, ou commence tout simplement plus tard dans la journée. D'après les auteurs Martin Feldman et Gary Null, il existe quelques signes qui peuvent vous aider à mieux comprendre la source du manque de vitalité qui vous afflige :

- Un manque d'énergie qui se fait sentir tout au long de la journée pourrait être causé par un trouble de la glande thyroïde ;

- De même, lorsque le niveau d'énergie est à son plus bas après 18 h, une hypoactivité de la glande thyroïde pourrait être en cause ;

- Lorsqu'on se sent épuisé dès le réveil et tôt dans l'avant-midi, même après une bonne nuit de sommeil, cela implique habituellement une fatigue surrénalienne ;

- Lorsque le déficit d'énergie est très sévère et se produit tout au long de la journée, il peut y avoir un état déficient de la glande thyroïde et des glandes surrénales.

Le docteur James L. Wilson, dans son excellent livre *L'adrénaline : trop, c'est trop*, ajoute quelques points intéressants qui indiqueraient un trouble de la glande thyroïde :

- Votre température basale, prise avant le lever, est inférieure à 36,7 °C (orale) ou 36,2 °C (axillaire) ;

- Les exercices physiques n'augmentent pas votre endurance ni votre capacité physique (l'exercice est profitable aux gens souffrant de fatigue surrénalienne);

- Vous êtes prêt à aller au lit dès 21 h 30, et vous n'avez pas de deuxième souffle à 23 h, comme cela arrive souvent lorsqu'il s'agit de fatigue surrénalienne;

- Vous vous sentez léthargique et endormi pratiquement toute la journée. Les gens souffrant de fatigue surrénalienne ont un regain d'énergie vers 10 h ou après le repas de midi;

- Votre niveau d'énergie n'augmente pas de façon marquée après le souper ou après 18 h, comme il arrive souvent avec la fatigue surrénalienne;

- Le côté extérieur de vos sourcils s'amincit, jusqu'à disparaître;

- Vous prenez du poids facilement, surtout autour des hanches et des cuisses, même en mangeant normalement.

C'est en se plongeant plus à l'avant dans le monde mystérieux de la glande thyroïde que nous arriverons à mieux comprendre son emprise sur le corps humain et son importance vitale dans le fonctionnement de celui-ci.

Chapitre 2

Les maladies
de la glande thyroïde

La glande thyroïde, comme tous les organes du corps, est sujette à son lot de difficultés. Un dérèglement de cette glande essentielle peut vous en faire voir de toutes les couleurs. Toute anomalie de la thyroïde se fait largement sentir dans tout le corps. De l'hyperactivité à la léthargie, de la diarrhée à la constipation, de la perte de poids au gain incontrôlable, du ralentissement du rythme cardiaque aux palpitations, les symptômes dépendent de la quantité d'hormones thyroïdiennes en circulation. Si la production de ces dernières diminue, les fonctions de l'organisme ralentissent. Inversement, un surplus d'hormones thyroïdiennes accélère son activité.

Toutes les formes de dérèglements thyroïdiens aboutissent presque invariablement à un hypofonctionnement de la glande thyroïde. Alors qu'on discutera brièvement de l'hyperthyroïdie, l'hypothyroïdie sera explorée plus en profondeur. Bien que les femmes soient plus susceptibles aux anomalies de la glande thyroïde que les hommes, les enfants de tout âge et les personnes âgées sont aussi à risque.

L'hyperthyroïdie

L'hyperthyroïdie implique que la glande thyroïde fabrique trop d'hormones thyroïdiennes. Cet excès d'hormones dans la circulation sanguine accélère toutes les fonctions de l'organisme, parfois de 60 % à 100 %. Comme les symptômes causés par la suractivité des systèmes peuvent apparaître progressivement, l'hyperthyroïdie n'est pas toujours facile à diagnostiquer. Lorsque seulement quelques symptômes sont apparents, le médecin dirigera souvent son investigation vers le système en cause ; par exemple, la personne souffrant de palpitations sera dirigée vers la cardiologie. L'hyperthyroïdie peut être détectée par un test sanguin.

Le fonctionnement excessif de la glande thyroïde est à l'origine de plusieurs symptômes aussi désagréables que sérieux : tremblements, hyperactivité, irritabilité, sautes d'humeur, fatigue, nervosité, anxiété, attaques de panique, insomnie, perte de poids malgré un appétit normal ou exagéré, mains et corps moites, augmentation de la sudation, bouffées de chaleur, intolérance à la chaleur, palpitations cardiaques, souffle court, augmentation de la pression sanguine, faiblesse musculaire, selles plus fréquentes ou diarrhée, diminution des menstruations ou aménorrhée chez les femmes, apparition d'un goitre au cou (grossissement de la thyroïde), impuissance chez l'homme. D'après l'endocrinologue Ridha Arem, le tiers des hommes affligés d'hyperthyroïdie souffriraient d'un développement excessif des glandes mammaires (gynécomastie) à la suite d'un dérèglement hormonal. Une exophtalmie (yeux saillants) et une sensibilité des yeux sont associées à la maladie de Basedow.

La cause la plus commune de l'hyperthyroïdie est la maladie de Basedow, aussi appelée la maladie de Graves. Le médecin irlandais Robert Graves l'a décrite dans le *London Medical Jour-*

nal en 1835, suivi de peu par le médecin allemand Carl Adolph von Basedow en 1840. Caleb Perry avait déjà signalé l'hyperthyroïdie quelques années auparavant.

On estime que la maladie de Basedow est responsable pour 70 % à 85 % des cas d'hyperthyroïdie. Il s'agit d'une maladie auto-immune, c'est-à-dire que la personne fabrique des anticorps qui vont s'attaquer à ses propres tissus. Les anticorps surexcitent la glande thyroïde et s'attaquent parfois aux tissus derrière les yeux, d'où le nom goitre exophtalmique. La maladie semble plus courante chez les femmes entre 20 et 50 ans, et affecte environ huit femmes pour un homme.

Les nodules thyroïdiens (adénomes) sont une autre cause possible de l'hyperthyroïdie. Ce sont de petites masses qui se développent seules ou en groupe, sur ou autour de la glande thyroïde. Certains types de nodules produisent des hormones thyroïdiennes. Cet excédent d'hormones peut mener à l'hyperthyroïdie.

La thyroïdite est une inflammation de la glande thyroïde causée par une infection virale ou bactérienne. Elle peut mener à un état d'hyperthyroïdie passager, parfois suivi d'une courte période d'hypothyroïdie. Une fois l'infection traitée, la thyroïde revient à la normale d'elle-même, souvent dans un délai de quelques semaines ou de quelques mois.

L'hyperthyroïdie peut aussi être provoquée par la prise de certains médicaments, dont certains riches en iode, ainsi que des hypotenseurs et des médicaments pour le cœur. De même, un trouble de fonctionnement de l'hypophyse peut occasionner une production excessive d'hormones thyroïdiennes. Ce dérèglement pourrait être causé par une tumeur à l'hypophyse.

À plus long terme, un excès d'hormones thyroïdiennes provoquera une déminéralisation de l'os, autrement dit l'ostéoporose, une réponse exagérée aux stimuli environnants, une perte de masse et de force musculaire, une perte excessive de calcium et de phosphates dans l'urine et les selles, et toute une panoplie de complications. L'organisme est incapable de tolérer bien longtemps les effets potentiellement dangereux de l'hyperthyroïdie. Aussitôt que la maladie est décelée, on la traitera en bloquant la production d'hormones thyroïdiennes avec des médicaments antithyroïdiens, en réalisant l'ablation chirurgicale d'une partie ou de toute la thyroïde (thyroïdectomie partielle ou totale) ou en détruisant des cellules de la thyroïde par iode radioactif.

L'hypothyroïdie

L'hypothyroïdie se manifeste lorsque la glande thyroïde n'arrive plus à produire suffisamment d'hormones thyroïdiennes pour assurer le fonctionnement normal de l'organisme. L'activité réduite de la thyroïde aura pour conséquence une diminution des concentrations d'hormones T3 et T4 dans la circulation sanguine. Le ralentissement des fonctions se fera sentir tant sur le plan physique que sur le plan psychologique.

Selon la Fondation canadienne de la thyroïde, l'hypothyroïdie affecte environ 2 % de la population. Tout comme pour les maladies thyroïdiennes en général, les femmes et les personnes âgées en semblent plus touchées. Les symptômes de la maladie sont d'ailleurs souvent confondus avec ceux du vieillissement; on estime que de 10 % à 20 % de la population vieillissante souffre d'hypothyroïdie. D'après un article du docteur Susan Lark dans la revue *Women's Wellness Today*, 21 % des femmes et jusqu'à 16 % des hommes de plus de 60 ans souffrent d'une forme d'hypothyroïdie silencieuse appelée l'hypothyroïdie subclinique. Ses symptômes étant moins prononcés, il arrive qu'elle passe inaperçue ou soit diagnostiquée par accident au moment d'un bilan de santé de routine. Combien de personnes âgées léthargiques, fatiguées, exténuées, courbaturées, en perte d'autonomie et à la mémoire défaillante souffrent-elles en réalité d'hypothyroïdie ?

On connaît plusieurs causes à l'hypothyroïdie :

- La thyroïdite auto-immune, plus connue sous le nom de thyroïdite d'Hashimoto (aussi thyroïdite lymphocytaire chronique), est la cause la plus commune de l'hypothyroïdie. C'est, il va sans dire, une maladie auto-immune où le système immunitaire s'attaque à la glande thyroïde. Lorsqu'un grand nombre de cellules thyroïdiennes ont été détruites par les anticorps, la quantité d'hormones thyroïdiennes n'est plus suffisante pour combler les besoins de l'organisme : c'est donc l'hypothyroïdie. Le processus déclencheur de la maladie n'est pas connu, mais un grand stress ou une infection virale peuvent la précéder. Les maladies auto-immunes de la glande thyroïde (Hashimoto, de Riedel) sont plus communes chez les femmes et apparaissent souvent durant ou après la grossesse, ou à l'âge de la ménopause. Le diagnostic est confirmé par la présence d'anticorps dans le sang ;

- Un traitement à l'iode radioactif pour traiter l'hyperthyroïdie altère le fonctionnement de la glande thyroïde. L'iode s'accumule alors dans la glande pour ralentir la production d'hormones thyroïdiennes. Il arrive parfois que le traitement entraîne son opposé, l'hypothyroïdie ;

- L'ablation chirurgicale partielle ou totale de la glande thyroïde à la suite de la découverte d'une tumeur, d'un nodule ou d'un cancer peut mener à l'hypothyroïdie. Si seule une portion de la glande est excisée, il est possible que la thyroïde restante produise une quantité suffisante d'hormones pour les besoins du corps, ou encore qu'elle en produise suffisamment pour une période de temps, voire plusieurs années.

Dans le cas contraire, les taux hormonaux chuteront rapidement et on devra avoir recours à des hormones de synthèse;

- Un traitement de radiothérapie sur la partie supérieure du corps (maladie de Hodgkin, cancer du larynx, de l'œsophage ou du sein) peut causer une hypothyroïdie passagère ou permanente;

- Une anomalie congénitale où la glande thyroïde ne se développe pas normalement peut être en cause. Il arrive que le nouveau-né naisse sans glande thyroïde, avec une thyroïde partiellement formée ou qu'elle soit placée au mauvais endroit. Le résultat reste le même, l'hypothyroïdie. Environ un enfant sur 4000 souffre d'une hypothyroïdie congénitale. Il est très important de commencer le traitement de substitution immédiatement, car un manque d'hormones thyroïdiennes mène à un retard important, tant physique que mental;

- Des formes passagères de thyroïdites sont la thyroïdite de post-partum ou celles causées par une infection bactérienne (streptocoque, staphylocoque, E. coli, bacille de Koch qui est responsable de la tuberculose) ou virale (oreillons, hépatite virale). Les thyroïdites bactériennes et virales requièrent un traitement médical, mais elles disparaissent généralement à l'intérieur de quelques mois sans laisser de séquelles. Plus éphémère, la thyroïdite qui suit la naissance d'un bébé peut provoquer une courte période d'hyperthyroïdie qui sera suivie d'une hypothyroïdie temporaire. Elle ne nécessite pas toujours un traitement médicamenteux ou alors un de courte durée. Ces thyroïdites peuvent donc être à l'origine d'une hypothyroïdie transitoire;

- Certains médicaments peuvent interférer avec l'activité hormonale de la glande thyroïde, dont le lithium, l'amiodarone (troubles cardiaques), l'interleukine-2 et l'interféron (hépatites virales) ;

- Un dysfonctionnement de l'hypophyse ou de l'hypothalamus causé par une tumeur, une chirurgie ou de la radiothérapie peut provoquer l'hypothyroïdie. Ces cas sont très rares ;

- Une carence ou un excès d'iode peut causer ou aggraver l'hypothyroïdie. L'iode sera discuté en détail au chapitre 8 ;

- Certaines carences nutritionnelles, par exemple en sélénium et en zinc, peuvent être en cause.

Toute une gamme de symptômes

L'hypothyroïdie est accompagnée de toute une gamme de symptômes plus ou moins révélateurs. Comme les hormones thyroïdiennes sont nécessaires au bon fonctionnement de toutes les cellules du corps, les symptômes peuvent toucher plusieurs systèmes à la fois. Ils peuvent apparaître graduellement, parfois sur une période de quelques mois, mais souvent au fur et à mesure des années, sans corrélation entre eux, ou plutôt subitement, laissant la personne épuisée et soucieuse. Certains des symptômes peuvent aisément correspondre à la symptomatologie d'autres maladies, ce qui rend le travail de diagnostic particulièrement compliqué. Bien entendu, le diagnostic sera rendu encore plus difficile si les symptômes se présentent très lentement sur une longue période de temps. Tout un ensemble de symptômes peut s'avérer plus utile pour orienter les examens vers un organe ou un système en difficulté qu'un seul et unique.

Encore plus surprenant, un bilan sanguin de routine chez certaines personnes mettra au jour un déficit d'hormones thyroïdiennes alors qu'elles ne démontrent ni symptômes ni malaises. Chaque personne réagit différemment à un même taux d'hormones thyroïdiennes. En outre, chaque personne a un niveau hormonal thyroïdien où elle se sent bien; voilà encore une raison de mettre en doute la précision des valeurs hormonales des tests offerts présentement. Nous reviendrons sur ce sujet au prochain chapitre.

La fatigue, la prise de poids et l'intolérance au froid sont les symptômes les mieux connus par le grand public, mais l'hypothyroïdie entraîne tout un assortiment de manifestations. Le problème se situe justement à ce niveau. L'hypothyroïdie n'a pas de symptômes distinctifs qui permettent de la déceler rapidement.

Prenons l'exemple d'une femme de 48 ans souffrant de fatigue et de palpitations et qui se présente pour une consultation médicale. En raison de son âge, le médecin pensera immédiatement à la ménopause qui implique ces deux symptômes. Il est fort possible qu'il poursuive son investigation de ce côté sans même penser à la glande thyroïde. Si les palpitations sont sérieuses, il pourrait aussi la diriger vers un cardiologue. On voit ici l'importance d'une étude intégrale des antécédents médicaux, outil de travail quelquefois négligé, car le temps est une commodité plutôt rare dans le monde médical d'aujourd'hui. Si la patiente avait ajouté qu'elle était aussi devenue très frileuse ces derniers temps, ce simple détail aurait pu diriger le médecin vers un examen plus minutieux de la glande thyroïde. La responsabilité de bien expliquer ses symptômes incombe donc au patient, alors que celle de bien écouter et de lire entre les «maux» revient au médecin.

Bien que les signes et les symptômes de l'hypothyroïdie soient parfois subtils à ses débuts, il devient vite évident pour la personne atteinte que les choses ne sont plus comme elles étaient. Si aucun traitement n'est établi, les symptômes prendront progressivement de l'ampleur. Les maladies cardiovasculaires, l'ostéoporose et la dépression peuvent faire suite à une dysfonction thyroïdienne non traitée. Un diagnostic précoce est donc important. Le crétinisme est une maladie d'origine congéniale due au manque d'hormones thyroïdiennes chez l'enfant. Celui-ci souffrira d'importants retards physiques et intellectuels non réversibles si le traitement n'est pas instauré très rapidement. Chez l'adulte, le myxœdème est une complication majeure très rare qui peut survenir à la suite d'une hypothyroïdie négligée à long terme. La personne atteinte peut présenter des symptômes d'altération mentale (apathie, confusion, psychose), d'hypothermie, une diminution du rythme cardiaque (moins de 60 battements à la minute) et une insuffisance cardiaque et respiratoire. Succédant souvent à un facteur déclencheur comme le froid, une infection, une chirurgie ou une hémorragie, le myxœdème peut entraîner le coma et la mort.

Lorsque le taux d'hormones thyroïdiennes est anormalement bas, toutes les fonctions du corps travaillent au ralenti : les battements du cœur ralentissent, la température du corps s'abaisse, le corps brûle moins de calories (prise de poids), le cerveau s'embrume. Le premier symptôme est souvent une fatigue qui s'installe peu à peu et qui finit par devenir omniprésente. La personne se plaint souvent d'avoir les mains et les pieds gelés, et de ne pas être capable de se réchauffer, même lorsque les gens autour d'elle sont bien à la température ambiante. Certaines personnes vont remarquer une bosse ou un gonflement au niveau de la gorge, un changement dans leur voix qui semblera plus rauque, ou encore ressentir une douleur au cou. D'autres symptômes désagréables qui sembleront n'avoir aucun rapport avec la glande thyroïde pourront apparaître éventuellement comme la constipation, la chute de cheveux et le syndrome du canal carpien. Plusieurs attribueront ces changements à leur âge.

Les signes et les symptômes liés à l'hypothyroïdie sont nombreux et se répercutent sur tout l'organisme :

- Fatigue constante ;
- Manque d'énergie, faiblesse, léthargie, épuisement ;
- Frilosité, intolérance au froid ;
- Extrémités froides ;
- Température du corps plus basse que la normale ;
- Perte d'appétit ;
- Gain de poids modéré malgré un appétit stable ;
- Constipation ;
- Cheveux secs et cassants ;
- Perte de cheveux et de poils ;
- Amincissement ou dépilation de la queue du sourcil (signe classique de l'hypothyroïdie), chute des cils ;
- Ongles striés, fins, cassants ;
- Peau sèche et écailleuse, froide, cireuse ;
- Pâleur de la peau, lèvres pâles ;
- Coloration de la peau d'un jaune orangé, surtout dans la paume des mains ou la plante des pieds ;
- Boursouflures des paupières, sous les yeux, des mains et des pieds (rétention d'eau) ;
- Faciès inexpressif ;
- Langue épaisse ;
- Picotements dans les mains et les poignets (syndrome du canal carpien) ;
- Crampes et raideurs musculaires ;
- Irritabilité, nervosité, attaque de panique ;
- Dépression ;
- Périodes menstruelles plus abondantes et prolongées, irrégulières ;
- Infertilité, avortement spontané, accouchement prématuré ;
- Écoulement blanc laiteux provenant des seins ;

- Baisse de la libido;
- Impuissance chez l'homme;
- Essoufflement;
- Soupirs fréquents, besoin de bâiller pour chercher plus d'oxygène;
- Diminution du rythme cardiaque (bradycardie);
- Rythme cardiaque irrégulier, palpitations;
- Changement dans la pression sanguine (hypotension ou hypertension);
- Taux élevé de cholestérol sanguin;
- Anémie chronique;
- Infections urinaires fréquentes;
- Infections à répétition (rhume, sinusite);
- Augmentation du volume de la thyroïde (goitre);
- Modification de timbre de la voix (rauque, enrouée);
- Difficulté à avaler, sensation que quelque chose est pris dans la gorge, sensation d'étouffement;
- Difficulté à se concentrer, pertes de mémoire, jusqu'à la confusion;
- Difficulté à s'exprimer, processus de verbalisation et prise de décisions plus lent que normal;
- Diminution de l'audition;
- Symptômes d'hypoglycémie;
- Troubles du sommeil, difficulté à s'endormir, insomnie, réveil difficile;
- Yeux secs, photosensibles, vision trouble;
- Ralentissement de certains réflexes comme le réflexe achilléen;
- Troubles de la peau (eczéma, psoriasis, démangeaisons);
- Ronflement récent et apnée du sommeil.

Malgré l'étendue de cette liste, elle n'est pourtant pas exhaustive. On pourrait y ajouter les symptômes de l'intestin irritable et de la fibromyalgie, les changements de personnalité, la diminution de la transpiration et le désordre affectif saisonnier. Chaque personne a un ensemble qui lui est propre. Bien que plusieurs victimes d'hypothyroïdie aient des symptômes communs tels que la fatigue, la frilosité et le gain pondéral, certaines en ont peu. D'autres peuvent souffrir de toute une panoplie de symptômes. Et encore, ils se manifestent à des niveaux d'intensité différents, variant de très modérés à très graves.

Une fois la maladie diagnostiquée, il peut être intéressant de noter les différents symptômes ressentis dans un journal. Il est parfois surprenant de voir ce qu'on peut découvrir. Après s'être familiarisées avec leur hypothyroïdie, certaines personnes déclarent reconnaître le moment exact où elles doivent faire ajuster leur dosage d'hormones thyroïdiennes par l'apparition d'un symptôme particulier. Un exemple étonnant est une dame qui dit savoir que sa thyroïde n'est plus équilibrée lorsque sa fasciite plantaire, une affection douloureuse du pied, recommence à la faire souffrir. Elle fait alors vérifier son taux d'hormones thyroïdiennes, rajuste le dosage et la douleur disparaît.

La glande thyroïde est à l'affût du moindre changement pouvant perturber l'organisme. Elle doit constamment s'adapter à ceux-ci. L'analogie utilisée par l'endocrinologue Merrill Edmonds semble avoir bien cerné le rôle de la glande thyroïde. Il la compare au régulateur de vitesse automatique de la voiture qui maintient une vitesse prédéterminée sans effort de la part du conducteur, tout comme la thyroïde soutient les différents métabolismes de l'organisme à un niveau optimal de fonctionnement. Si les taux d'hormones thyroïdiennes diminuent, l'activité de toutes les cellules du corps en sera affectée; toutes les fonctions de l'organisme ralentiront. Étant une des glandes maîtresses du métabolisme du corps, la thyroïde en santé aide le corps à s'ajuster minute par minute à tous les changements environnants.

Pendant que vous lisez ce passage, votre thyroïde est au travail ; elle aide votre corps à s'adapter à la température de la pièce, au niveau de stress actuel et même à ce que vous venez de manger. Toutes les modifications externes affectent donc le fonctionnement de la glande thyroïde. Parmi celles-ci, on peut noter le changement de saison (le taux de TSH augmente souvent l'hiver et diminue à la saison estivale), les fluctuations hormonales dues à la puberté, aux anovulants, à la grossesse et à la ménopause, l'augmentation du stress physique et émotionnel, une maladie autre que l'hypothyroïdie, un nouveau régime plus riche en fibres, une carence en protéines et en gras dans l'alimentation (régime yo-yo), l'ajout ou l'arrêt de suppléments comme le calcium et le fer, un changement de l'heure à laquelle on prend son médicament, un excès d'aliments goitrogènes (voir le chapitre 8), la prise de certains suppléments alimentaires ou d'autres médicaments.

Bien que certaines personnes puissent prendre le même dosage d'hormones thyroïdiennes de remplacement pendant des années sans problèmes, d'autres sont beaucoup plus sensibles aux fluctuations des hormones thyroïdiennes et nécessitent des contrôles plus rigoureux. La mesure de l'hormone thyréostimuline (TSH) dans le sang est l'indicateur le plus sensible au changement.

Les personnes à risque

Quoique la maladie touche les deux sexes, certaines personnes sont plus à risque de développer une hypothyroïdie. La femme est de cinq à sept fois plus souvent atteinte de ce trouble que l'homme et son facteur de risque augmente avec l'âge. Les femmes de plus de 40 ans ainsi que les hommes de plus de 65 ans sont plus vulnérables. Toutes les personnes ayant des antécédents familiaux de maladies thyroïdiennes sont plus à risque que la population en général. Si l'un de vos proches ou vous souffrez d'autres maladies auto-immunes comme le diabète insulinodé-pendant (diabète de type 1), la maladie d'Addison, l'arthrite rhu-matoïde, le vitiligo, l'anémie pernicieuse, la maladie cœliaque, le syndrome de Raynaud, le syndrome de Sjögren, la sclérose en plaques ou la fibromyalgie, vos chances de développer une ma-ladie thyroïdienne auto-immune augmentent.

La femme qui a enfanté peut souffrir d'une thyroïdite post-partum dans l'année qui suit l'accouchement ; cette affection est habituellement transitoire et peut durer de plusieurs mois à un an. Les périodes charnières de la vie de la femme semblent ac-croître la possibilité de souffrir d'hypothyroïdie. Les fluctuations hormonales de la grossesse, de la période post-partum et méno-pausique ont sûrement beaucoup à voir avec le déséquilibre thy-roïdien, car on sait que tous les organes du système endocrinien sont interreliés.

D'autres facteurs entrent certainement en ligne de compte lorsqu'il est question d'hypothyroïdie. Chose certaine, notre état de santé général peut se refléter dans le fonctionnement d'une de nos glandes principales. Cela voudrait donc dire que ce que l'on mange ou respire, notre style de vie, tout pourrait être en cause. Nous explorerons d'autres hypothèses dans les prochains chapitres.

Un témoignage

Il y a de cela quelques années (peut-être en 1996 ou 1997), j'ai senti que mon corps m'abandonnait complètement et que ma pensée perdait tout contrôle sur lui... Quoi que je fasse, rien ne fonctionnait... Des exemples ? Je prenais du poids malgré tous mes efforts pour maigrir (régime sain, exercices), mes cheveux et mes ongles s'amincissaient et perdaient de leur tonus, j'avais toujours envie de pleurer et ne trouvais absolument plus rien de beau dans la vie, j'étais toujours fatiguée et frileuse... Bref, j'avais l'impression de devenir totalement impuissante envers ma destinée, et de moins en moins attirante. Ce fut une période très noire et triste pour moi.

Il est vrai que quelques mois auparavant j'étais passée au travers d'une rupture amoureuse tant bien que mal. Puisque je me considère comme assez forte par tempérament, il me semblait que ma vie était naturellement rendue «ailleurs» et que je m'en sortirais bien. Par nature, je suis d'un tempérament passionné, j'aime m'occuper et relever toutes sortes de défis. Malgré tout, j'ai fini par me dire qu'une dépression en bonne et due forme s'était abattue sur moi en dépit de tous mes efforts. (Aujourd'hui, je me demande encore si cette rupture a pu être un élément déclencheur de la maladie.)

Toutefois, mes symptômes physiques m'occasionnaient beaucoup de désagréments. Entre autres, mon œil gauche n'en finissait plus de couler. Étrangement, c'est une ophtalmologiste, au cours d'un examen de routine de la vue, qui m'a mise sur la bonne piste en me demandant: «Ne serait-ce pas la glande thyroïde qui ferait des siennes?» À l'époque, je ne comprenais pas du tout comment cette glande pouvait être reliée à cette histoire; j'en ai donc parlé ultérieurement avec un médecin de la clinique. Quelques tests plus tard, les résultats furent concluants: oui, c'était bien la thyroïde (qui, elle, est reliée à l'hypothalamus du cerveau et ainsi aux nerfs optiques). Quelques semaines plus tard encore, je voyais enfin un endocrinologue qui m'a prescrit un supplément d'hormones thyroïdiennes (Synthroid[MD]). Je me considère comme très chanceuse, car cette ordonnance fut appropriée pour moi. Au fil des années, j'ai eu vent de toutes sortes d'histoires à ce sujet où des patients ont dû «expérimenter» des taux différents de médicaments avant de finalement trouver le bon dosage (tout en continuant de vivre les désagréments de la maladie).

Aujourd'hui, soit une dizaine d'années plus tard, je n'ai plus de malaises de ce côté et je suis bien consciente de devoir prendre ce médicament pour le reste de ma vie, car ma thyroïde ne produit pas les hormones nécessaires pour bien fonctionner. Je considère la glande thyroïde comme le thermostat du corps : si elle ne fonctionne pas bien, tout est déréglé. Certes, il y a des maladies plus graves que celle-ci dans la vie, mais l'hypothyroïdie est très insidieuse et peut vous rendre vraiment désespéré avant d'être traité.

E. M., 53 ans

octobre 2007

L'évaluation de la glande thyroïde

Le questionnaire qui suit a été élaboré par des médecins et des patients concernés par les troubles de la glande thyroïde. Plus d'un million de Canadiens souffrent d'une maladie thyroïdienne et un grand nombre d'entre eux ignorent qu'ils en sont atteints. Ce formulaire d'évaluation de la glande thyroïde a été créé par la Fondation canadienne de la thyroïde, qui a gracieusement accepté de le partager avec nos lecteurs. Vous pouvez faire part des résultats à votre médecin traitant, ce qui lui permettra de faire une évaluation plus complète en moins de temps.

Questionnaire sur l'évaluation de la thyroïde

1. Souffrez-vous présentement de l'un ou l'autre de ces symptômes ?

- Palpitations (battements cardiaques rapides ou marqués)
- Manque de concentration
- Perte de mémoire
- Troubles du sommeil
- Besoin excessif de sommeil
- Fatigue

- Faiblesse musculaire
- Muscles endoloris
- Agitation/anxiété
- Dépression
- Peau sèche
- Démangeaisons cutanées
- Perte de cheveux inhabituelle
- Cheveux secs
- Ongles cassants
- Selles peu fréquentes ou dures
- Selles fréquentes ou molles
- Prise de poids inexpliquée
- Perte de poids inexpliquée
- Douleur persistante ou gonflement à l'avant du cou
- Voix rauque
- Sensation d'une boule dans la gorge
- Douleur oculaire ou vision double
- Yeux gonflés ou exorbités
- Changement de l'aspect du visage
- Transpiration abondante
- Difficulté à tolérer la chaleur
- Tremblement des mains

Pour les femmes avant la ménopause seulement

A. Disparition des règles
Règles irrégulières
Flux menstruel excessif

B. Au cours des deux dernières années, avez-vous eu un bébé ou fait une fausse couche ?

2. Votre nom

3. Êtes-vous né(e) au Canada ?

4. **Est-ce qu'un membre de votre famille souffre d'une maladie de la thyroïde diagnostiquée ?**
- Glande thyroïde trop active
- Glande thyroïde pas assez active
- Nodule ou gonflement de la glande thyroïde
- Cancer de la thyroïde
- Maladie inconnue de la thyroïde
- Autre

5. **Est-ce que vous souffrez d'une maladie de la thyroïde diagnostiquée ?**
- Glande thyroïde trop active
- Glande thyroïde pas assez active
- Nodule ou gonflement de la glande thyroïde
- Cancer de la thyroïde
- Maladie inconnue de la thyroïde
- Autre

6. **Recevez-vous présentement un traitement pour une maladie thyroïdienne ?**
- Hormonothérapie thyroïdienne substitutive (par exemple, Synthroid^MD, Eltroxin^MD, Cytomel^MD)
- Traitement antithyroïdien (par exemple, Propylthiouracile, Tapazole^MD)
- Autre

7. **Avez-vous déjà reçu un traitement pour une maladie de la thyroïde ?**
- Hormonothérapie thyroïdienne substitutive (par exemple, Synthroid^MD, Eltroxin^MD, Cytomel^MD)
- Chirurgie thyroïdienne
- Traitement à l'iode radioactif (pas le test diagnostique)
- Traitement antithyroïdien (par exemple, Propylthiouracile, Tapazole^MD)
- Autre

8. **Prenez-vous présentement des remèdes à base de plantes ou des suppléments alimentaires pour la thyroïde ?**

9. **Souffrez-vous de l'un ou l'autre des problèmes médicaux suivants ?**
- Hypertension artérielle
- Taux de cholestérol élevé
- Maladie du cœur ou angine de poitrine (douleur thoracique)

10. **Prenez-vous l'un ou l'autre des médicaments suivants ?**
- Cholesthyramine
- Amiodarone
- Lithium

Chapitre 3

La détection de la maladie

Lorsque vous pensez souffrir d'un déséquilibre de la glande thyroïde, vous devez immédiatement consulter votre médecin traitant et lui en parler. Il procédera alors par étapes pour déceler la cause de vos problèmes. Le scénario idéal voudrait qu'il vous interroge sur vos symptômes actuels, vos antécédents familiaux, car on sait qu'il y a une certaine prédisposition génétique aux troubles thyroïdiens, votre alimentation et même sur votre niveau de stress des derniers mois.

Si le médecin suspecte un trouble de la thyroïde, il palpera la glande pour évaluer sa grosseur et sa forme. Malheureusement, dans le monde de service rapide d'aujourd'hui, il est plus probable que vous sortiez promptement du bureau de consultation avec une ordonnance pour des tests sanguins visant la fonction thyroïdienne ; c'est quand même un pas dans la bonne direction. Il arrive aussi qu'un médecin consciencieux soupçonne un trouble thyroïdien durant l'examen annuel, ou encore qu'une anomalie thyroïdienne soit découverte au moment d'un bilan sanguin de routine. Le médecin traitant peut également décider de vous orienter vers un endocrinologue, c'est-à-dire un médecin spécialiste qui voit au diagnostic et au traitement des maladies des glandes endocrines ainsi que des problèmes métaboliques.

L'auto-examen

La thyroïde est située à l'avant du cou (sous la pomme d'Adam). C'est la seule glande endocrine facilement accessible à la palpation. L'auto-examen se pratique avec un miroir à main. On renverse la tête vers l'arrière et on prend une gorgée d'eau; tout en se regardant dans le miroir, on avale l'eau. On examine le cou en avalant pour détecter un renflement, une bosse, une asymétrie, un élargissement sur ou près de la thyroïde. On répète le test plusieurs fois tout en regardant bien. Avec notre main libre, on palpe autour de la thyroïde à l'affût de toute protubérance ou bosse.

Si vous décelez la moindre anomalie, contactez votre médecin immédiatement. Bien entendu, ce simple examen n'est en aucun cas un outil de diagnostic. Le médecin pourra palper la thyroïde plus efficacement afin de trouver toute irrégularité: un nodule, un goitre, une atrophie, une déviation de la trachée ou une sensibilité accrue. Certaines personnes peuvent ressentir un genre de tension, quelquefois même de la douleur au niveau du cou. D'autres se plaindront d'une gêne à la déglutition, de troubles respiratoires ou d'un changement au niveau de la voix (voix rauque, sans timbre).

La température basale

Le docteur Broda Otto Barnes (1906-1988), un célèbre professeur en médecine, a consacré plus de 50 ans de sa vie à la recherche, à l'enseignement et au traitement des maladies de la glande thyroïde. Il était persuadé que la lecture de la température basale était l'un des tests les plus valides pour évaluer la fonction thyroïdienne. Le docteur Barnes affirmait que ce simple test pouvait vérifier la fonction la plus fondamentale de la glande thyroïde, soit sa capacité à réguler le thermostat métabolique du corps et à contrôler sa température. Plusieurs médecins appuient ses dires encore aujourd'hui. Richard Shames, médecin et auteur du livre *Thyroid Power: 10 Steps to Total Health*, qui a fait de la thyroïde son champ d'expertise depuis plus de 30 ans, soutient l'importance du test de la température basale. Bien qu'on ne doive en aucun cas l'utiliser comme seul outil de diagnostic, il fait bonne figure parmi les tests complémentaires. Il peut être utilisé lorsqu'une personne soupçonne un trouble de la thyroïde ou pour évaluer, chez un hypothyroïdien traité, si le dosage d'hormones thyroïdiennes est adéquat pour stimuler efficacement la glande.

Le test de la température basale, c'est-à-dire la température du corps au repos, doit être fait dès le réveil, avant le lever. Il faut éviter de consommer des boissons alcoolisées le soir précédant le test. Il ne faut pas boire, ni manger, ni fumer avant la prise de la température. Pour la femme en âge d'avoir des menstruations, on commence le test le troisième jour après le début de ses périodes.

On doit utiliser un thermomètre à mercure et non un thermomètre digital. On s'assure que celui-ci affiche une température inférieure à 35 °C et on le place à portée de main avant de se coucher. Au réveil, on place le thermomètre sous l'aisselle (sous le bras) pendant au moins 10 minutes tout en restant calmement au lit sans bouger. Après ce temps, on note la lecture du thermomètre et la date. On répète le test pendant 10 jours d'affilée. Bien que certaines personnes préconisent de faire le test sur trois jours seulement, les spécialistes de la thyroïde s'entendent à dire que de faire le test pendant 10 jours consécutifs élimine les facteurs impondérables. La température basale axillaire devrait se maintenir entre 36,4 °C et 36,7 °C, soit un peu plus basse que la température buccale normale de 37 °C. Si elle est plus basse que 36,4 °C, surtout en présence d'autres symptômes d'hypothyroïdie, il faut consulter le médecin rapidement. C'est un examen complémentaire d'une grande simplicité, gratuit et à la portée de tous.

Les tests sanguins

Les dysfonctionnements de la glande thyroïde sont décelés, en premier lieu, par un bilan sanguin. Avant le prélèvement de sang veineux, il y a quelques points importants à respecter afin d'éviter de fausser les résultats du test prescrit :

- Être à jeun ;
- Ne pas fumer avant la prise de sang ;
- Ne pas prendre d'anti-inflammatoires ;
- Signaler tout traitement en cours (médicaments, chimiothérapie, radiothérapie) ;
- Éviter le stress avant le prélèvement.

Les taux sanguins de la TSH

La TSH (*thyroid stimulating hormone*) stimule toutes les étapes de la synthèse des hormones thyroïdiennes, en commençant par la captation de l'iode en circulation jusqu'à la libération de T3. Le test de la TSH sérique est donc l'outil de dépistage par excellence. De nos jours, avec les dosages plus sensibles et plus précis des hormones, le diagnostic peut être établi en peu de temps. Lorsque la thyroïde ne produit pas suffisamment d'hormones T3 et T4, l'hypophyse sécrète davantage de TSH, aussi appelée thyréostimuline, dans le but de stimuler la thyroïde à répondre aux besoins de l'organisme. Cela veut dire que lorsqu'il y a une réduction plasmatique d'hormones thyroïdiennes, il y aura une augmentation de la TSH en circulation. De ce fait, le médecin mesurera votre taux de thyréostimuline par une analyse de sang afin de confirmer le diagnostic d'hypothyroïdie ou d'hyperthyroïdie.

Une concentration élevée de la TSH suggère une hypothyroïdie. À l'inverse, un taux réduit peut indiquer une hyperthyroïdie (voir la figure 2 à la page 55). Lorsque les résultats sont normaux, un dysfonctionnement primaire de la glande thyroïde est pratiquement exclu. Il est possible que certains médicaments – comme les corticostéroïdes, les antidépresseurs, les anticonvulsivants et les anticholestérolémiants –, la caféine, une affection psychiatrique grave ou une maladie autre que thyroïdienne puissent supprimer le taux de la TSH.

L'endocrinologue Ridha Arem stipule qu'une valeur normale de TSH ne veut pas dire que notre cerveau et nos organes reçoivent la quantité de T3 dont ils ont besoin pour autant. Quand nous savons, par exemple, qu'un manque de T3 au cerveau peut causer une dépression, nous convenons qu'il est important de persister dans l'investigation des symptômes.

Les taux sanguins des hormones T3 et T4

Lorsque les résultats de la TSH sont anormaux, on doit évaluer la gravité de l'atteinte thyroïdienne. On procède alors en mesurant les concentrations sanguines d'hormones thyroïdiennes T4 (la thyroxine) et T3 (la triiodothyronine). S'il s'agit d'hyperthyroïdie, la production de la TSH sera réduite ou supprimée et les taux sanguins de T3 et T4 libres seront élevés. À l'inverse, si la personne est atteinte d'hypothyroïdie, le taux de TSH sera élevé et ceux de T3 et T4 seront faibles (voir la figure 2 à la page 55).

Bien que le dosage de l'hormone T4 soit moins précis que celui de la TSH, il est utile pour évaluer la sévérité de l'hypothyroïdie. La concentration de l'hormone T3 révèle des anomalies secondaires, comme un blocage de la conversion de la T4 en T3. Beaucoup d'informations peuvent être obtenues à partir de ces résultats. Par exemple, un cas présentant des valeurs de TSH et de T4 libre élevées avec un taux de T3 réduit peut indiquer un bloc de la conversion de la T4 en T3. Si les valeurs des trois hormones sont basses, il peut s'agir d'une maladie systémique ou d'une insuffisance hypophysaire. Un taux de TSH élevé mais inférieur à 10 mU/L (milliunités par litre), associé à des valeurs sériques normales de T4 et de T3, avec une symptomatologie légère ou non existante, indique une hypothyroïdie subclinique ou encore légère. On parle plutôt d'une hypothyroïdie franche lorsque le taux de TSH sera supérieur à 10 mU/L, les valeurs de T4 réduites, le tout accompagné de symptômes manifestes.

- *Le dosage de la T4 totale* mesure la concentration de thyroxine dans le sang. Une valeur réduite peut indiquer l'hypothyroïdie. Un bas taux de T4 alors que celui de la TSH est élevé indique plutôt un trouble de la glande thyroïde elle-même, alors qu'un taux insuffisant de T4 avec une valeur normale ou basse de la TSH peut indiquer un problème au niveau de l'hypophyse. Les valeurs de T4 totale peuvent parfois augmenter au moment de la grossesse, de la prise d'anovulants ou d'un traitement de remplacement hormonal sans qu'il soit question d'hyperthyroïdie.

- *Le dosage de la T4 libre* mesure la concentration de thyroxine libre dans le sang, c'est-à-dire la portion active de la T4 non liée ou associée à une protéine (environ 1 % des niveaux totaux des hormones thyroïdiennes). Un taux réduit indique une hypothyroïdie, alors qu'une valeur élevée peut pointer vers l'hyperthyroïdie.

- *Le dosage de la T3 totale* mesure la concentration de triiodothyronine dans le sang. Des valeurs élevées de T3 indiquent l'hyperactivité de la glande thyroïde, alors que des valeurs basses suggèrent l'hypothyroïdie.

- *Le dosage de la T3 libre* mesure la concentration de triiodo-thyronine non liée à une protéine dans le sang. Des valeurs basses de T3 libre suggèrent l'hypothyroïdie.

Figure 2 Résumé

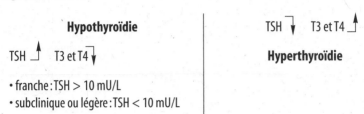

D'autres analyses sanguines
============================

Lorsque le médecin suspecte un trouble de la glande thyroïde, le premier test prescrit devrait être le dosage de la TSH. S'il indique un résultat anormal, le praticien voudra vérifier les taux de T3 et de T4 libres. Généralement, ces résultats suffisent à établir un diagnostic d'hypothyroïdie et le traitement est instauré. Le médecin peut aussi demander un dosage de la thyroglobuline, une protéine produite par la glande thyroïde. Son rôle est de capter l'iode afin de permettre la fabrication des hormones T3 et T4. Lorsque la fonction thyroïdienne est normale, les taux de thyroglobuline sont très bas ou indétectables. Une valeur élevée peut indiquer un cas d'inflammation ou de cancer de la thyroïde.

Si d'autres troubles thyroïdiens sont soupçonnés, différentes analyses sanguines pourront être exigées telles que le dosage des anticorps antithyroïdiens, dont les anticorps antithyroïdes peroxydases (anti-TPO) et les anticorps antithyroglobulines (anti-TBG). Les dosages d'anticorps antithyroïdiens positifs démontrent la présence d'auto-immunité contre la glande thyroïde, comme c'est le cas pour la thyroïdite auto-immune d'Hashimoto ou la maladie de Basedow.

Plusieurs facteurs peuvent réduire la conversion de la thyroxine, ou T4, en T3 : un régime restreint en hydrates de carbone et en gras, une carence en nutriments (zinc, sélénium, fer, vitamines A et B), une déficience enzymatique, la caféine, l'alcool, le lithium, une maladie chronique, une exposition aux métaux lourds ou aux pesticides, un état de stress prolongé ou un taux de cortisol élevé, un déséquilibre œstrogénique.

Les tests complémentaires

Si les tests sanguins démontrent des anomalies, il est fort possible que vous soyez envoyé chez un endocrinologue, un médecin spécialiste des glandes endocrines. D'autres tests pourront alors être recommandés avant le diagnostic final, comme une échographie, une scintigraphie ou une cytoponction.

L'échographie permet de visualiser la glande en passant une sonde à ultrasons sur le cou ; il s'agit du même examen pratiqué pour voir le fœtus de la femme enceinte. Indolore, il permet de voir et de définir des nodules (pleins-tumoraux, liquidiens-kystiques) ainsi que de suivre leur évolution.

Le test de la captation de l'iode radioactif et la scintigraphie de la thyroïde sont faits 24 heures après l'ingestion d'une dose orale d'iode radioactif ou d'un agent radioactif appelé technétium. La glande thyroïde capte et utilise l'iode pour la synthèse de ses hormones ; c'est pourquoi elle capte et métabolise l'iode radioactif de la même façon. La dose de radioactivité est infime, bien qu'on évite de l'administrer aux enfants et aux femmes enceintes.

La scintigraphie permet de visualiser l'activité métabolique de la glande thyroïde et d'éventuels nodules thyroïdiens; elle représente un atout important dans la recherche du facteur déclenchant de l'hyperthyroïdie. À l'aide d'une caméra, on peut suivre le trajet du traceur radioactif et voir comment il se distribue. Ainsi, on peut voir la forme et le volume de la thyroïde. Si la glande est hyperactive, la captation de l'iode sera plus élevée que la normale, alors qu'elle sera moindre ou absente si elle est hypoactive. S'il y a un nodule, on peut déterminer s'il produit des hormones thyroïdiennes. Ce surplus d'hormones pourrait causer une hyperthyroïdie. Un nodule «chaud» (presque toujours bénin) qui sécrète des hormones apparaît foncé sur l'image, au contraire d'un nodule «froid». Certains nodules froids (de 10 % à 20 %) peuvent être cancéreux, bien que le cancer de la glande thyroïde soit assez rare.

L'analyse cytologique, communément appelée biopsie, est faite afin de déceler une anomalie des cellules thyroïdiennes comme le cancer. On insère une petite aiguille montée sur une seringue dans le nodule de la glande thyroïde et on prélève quelques cellules. Malgré sa description, cette cytoponction faite sous guidage échographique est peu douloureuse et couramment utilisée.

Plusieurs de ces tests s'appliquent à des maladies thyroïdiennes autres que l'hypothyroïdie, mais il s'avérait important de les mentionner. Donc, une fois l'hypothyroïdie diagnostiquée, des hormones thyroïdiennes de substitution seront vraisemblablement prescrites. Plusieurs facteurs doivent être évalués afin d'établir le dosage à prendre quotidiennement, tels le niveau d'insuffisance de la glande thyroïde (hypothyroïdie légère, modérée, grave), l'âge, le poids, le sexe – les hormones féminines influencent la thyroïde (grossesse, ménopause) –, la prise d'autres médicaments et la présence d'autres maladies, surtout si ce sont des maladies auto-immunes.

Au début du traitement, le suivi médical inclura des analyses sanguines plus fréquentes afin de déterminer si le dosage prescrit est approprié. Comme la thyroxine est une hormone qui agit lentement, le corps pourrait prendre de plusieurs semaines à plusieurs mois à bien s'ajuster aux hormones de remplacement avant de voir les symptômes disparaître. Selon le médecin, on pourrait vous recommander un suivi associé à une analyse sanguine tous les deux mois pour débuter, et si tout va pour le mieux, les espacer rapidement tous les six mois, puis à un bilan annuel. Un ajustement de la thérapie pourrait éventuellement s'avérer nécessaire pour faire face aux diverses étapes de la vie, bien que certaines personnes continuent à fonctionner normalement avec le même dosage pendant des décennies.

Les controverses persistent

Les analyses sanguines dont on se sert pour diagnostiquer les pathologies thyroïdiennes font usage de valeurs «normales» très larges. Si on se réfère à la figure 3, on voit que la plage dite «normale» pour la TSH se situe entre 0,4 et 3,5 mU/L, alors que celle «à risque» est de 3,5 mU/L à 5 mU/L. Plus souvent qu'autrement, l'hypothyroïdie n'est pas détectée assez tôt et elle est déjà bien installée au moment du diagnostic. À ce point, le taux de TSH sera peut-être si élevé que le diagnostic ne fera aucun doute.

Figure 3 Dosage de la TSH

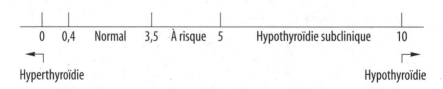

| 0 | 0,4 | Normal | 3,5 | À risque | 5 | Hypothyroïdie subclinique | 10 |

Hyperthyroïdie   Hypothyroïdie

Mais qu'arrive-t-il si votre résultat se situe autour de 4,0 mU/L? Selon le médecin traitant, il est possible qu'on vous dise que vos résultats sont dans la «limite de la normale malgré les symptômes très évidents que vous pouvez ressentir. Et voilà où la controverse éclate!

Chaque personne a un taux d'hormones thyroïdiennes idéal où elle se sent bien. Alors que certaines peuvent s'ajuster facilement à une fluctuation assez importante, d'autres réagissent fortement à un changement minime. On sait que le niveau hormonal est constamment en mouvement, même dans le cours d'une journée, mais on parle ici d'un changement un peu plus marqué apportant des symptômes physiques et psychologiques à certains individus très sensibles.

Donc, «la limite de la normale» signifie que la thyroïde produit des quantités suffisantes d'hormones, même s'il y en a tout juste assez pour être considérées comme «normales», toujours par rapport à des valeurs préétablies. Il en va de même pour les gens déjà diagnostiqués et présentement sous traitement d'hormones de remplacement. Que ce soit des hormones naturelles ou synthétiques, il reste que chaque individu a un taux hormonal qui lui convient mieux, et que chacun a une capacité à s'en écarter qui lui est propre. Le truc consiste à trouver ce niveau d'ajustement et à le conserver. Encore faut-il trouver un médecin compatissant prêt à vous soutenir dans votre quête d'un dosage médicamenteux optimal où vous vous sentez bien.

Il est alors utile d'être bien informé sur le sujet afin de pouvoir mieux en discuter avec lui. Il est très important de souligner les antécédents familiaux, surtout s'ils incluent une maladie thyroïdienne. D'ailleurs, si les symptômes persistent et que l'hypothyroïdie est exclue, il faudra quand même trouver la cause de vos troubles de santé. Bien que l'hypothyroïdie amalgame toute une panoplie de symptômes, il ne faut pas négliger les faits ; plusieurs autres affections peuvent se manifester de façon similaire.

Semblablement, le débat continue concernant l'hypothyroïdie subclinique, aussi nommée infraclinique ou légère. Jusqu'à tout récemment, on ne traitait pas les personnes asymptomatiques présentant une concentration de TSH inférieure à 10 mU/L avec un taux normal de T4. Les jeunes femmes en âge de procréer étaient l'exception, car un manque d'hormones thyroïdiennes nuit à la fertilité. La profession médicale n'arrive toujours pas à un consensus à savoir s'il faut ou non traiter une hypothyroïdie subclinique. Certaines études démontrent que celle-ci accroît les risques de complications éventuelles telles que les maladies cardiovasculaires (infarctus, accident vasculaire cérébral, athérosclérose de l'aorte), l'hyperlipidémie, l'augmentation des triglycérides, l'avortement spontané, le retard de développement chez le nouveau-né dont la mère n'a pas été traitée durant la grossesse, et le passage à l'hypothyroïdie franche. L'âge (plus de 50 ans), un taux de TSH supérieur à 10 mU/L et la présence d'anticorps antithyroïdiens augmentent les facteurs de risque.

D'autres études contredisent ces déclarations et affirment qu'il n'y a aucun avantage à traiter l'hypothyroïdie subclinique. Le traitement de ce problème par la thyroxine synthétique peut entraîner certains symptômes d'excès non négligeables tels que la nervosité, les tremblements, la sudation excessive, la perte de poids, les palpitations, la fibrillation auriculaire et la diminution de la masse osseuse (en cas de surdosage). Il devient donc primordial d'étudier le contexte clinique avant de décider d'entreprendre ou non le traitement. En plus des résultats sanguins, il faut considérer les antécédents familiaux, l'âge, les symptômes, le taux de cholestérol et de triglycérides ainsi que la présence d'une autre maladie auto-immune. Tout au moins, un bilan des hormones thyroïdiennes devrait être fait annuellement pour suivre la progression de la situation.

Alors que la polémique thyroïdienne est déjà bien déroutante, voilà qu'on apprend qu'on ne s'entend pas aux États-Unis – non d'un État à l'autre, mais d'un laboratoire à l'autre, et même d'un médecin à l'autre – sur les nouvelles valeurs de la TSH. Pendant les années 1980 et 1990, en Amérique du Nord, les taux normaux de TSH variaient entre 0,3 et 0,5 ainsi que 4,7 et 5,5. En 2003, l'American Association of Clinical Endocrinologists a proposé que de nouvelles normes pour la TSH soient adoptées. Ainsi, la plage de valeurs normales a été resserrée de 0,3 à 3,0. Or, bien des médecins et des laboratoires ont décidé d'ignorer ces changements pour une raison ou une autre.

D'après Mary Shomon, auteure du livre *Living Well With Hypothyroidism* et elle-même hypothyroïdienne, l'interprétation de vos résultats peut porter à confusion. Par exemple, si votre médecin s'en tient aux vieilles normes, il pourrait refuser de traiter une hypothyroïdie entre 3,01 et 5,5. Ou encore, il pourrait vous traiter avec des hormones de remplacement, mais juste assez pour vous permettre d'atteindre la plus haute des valeurs normales (5,4 si on se fie aux anciennes normes). Certaines personnes se sont même fait dire que si elles se sentaient encore mal avec ces valeurs dites «normales», c'est que le problème était ailleurs car, après tout, la thyroïde fonctionnait maintenant normalement.

Trop souvent, les chiffres semblent plus importants que les symptômes ressentis par l'individu concerné. On peut simplement imaginer la frustration, sans mentionner les symptômes, que peut ressentir une personne qui a besoin d'un taux de TSH très bas pour bien fonctionner. Il semble d'ailleurs qu'un grand nombre d'hypothyroïdiens se sentent mieux avec un chiffre situé plus près de 1,0 ou 2,0. Selon cette nouvelle échelle de valeurs, il se pourrait que des milliers, voire des millions, de personnes souffrent d'hypothyroïdie sans le savoir. Voilà matière à réflexion !

Chapitre 4

Le traitement médicamenteux

En 2006, les statistiques concernant les tendances pharmaceutiques ont listé le Synthroid[MD], le médicament couramment utilisé pour rétablir les taux d'hormones thyroïdiennes, comme le deuxième des 50 médicaments les plus prescrits au Canada. À ce moment, le Lipitor[MD], un médicament hypocholestérolémiant, lui ravissait la première place*[1]. Lorsqu'on a répertorié le nombre des ordonnances rédigées par les différentes spécialités (cardiologie, pédiatrie, médecine générale, néphrologie, etc.), les données canadiennes ont révélé que le Synthroid[MD] était le médicament le plus prescrit en endocrinologie[2].

Le choix des médicaments

Comme on peut s'y attendre, le choix du médicament revient en grande partie au médecin traitant. A priori, il sera basé sur les concentrations sériques d'hormones thyroïdiennes, mais le professionnel devra aussi prendre en considération l'âge et le poids du patient, son état de santé général et plusieurs autres facteurs

---

* Les notes se trouvent à la page 165.

comme ceux vus au chapitre 3. L'hypothyroïdie est généralement traitée par l'ajout d'un supplément de thyroxine (T4) synthétique. Afin d'atteindre un équilibre thyroïdien où elles se sentent bien, certaines personnes devront combiner un certain dosage de triio-dothyronine (T3) synthétique à leur prise quotidienne de lévo-thyroxine.

L'hypothyroïdie nécessite généralement un traitement quoti-dien à vie, excepté dans les cas d'hypothyroïdie passagère comme la thyroïdite et les essais thérapeutiques du médicament. Bien que les noms des médicaments changent d'un pays à l'autre selon les marques de commerce, les composés pharmaceutiques de base restent les mêmes. Certaines personnes hypersensibles peuvent réagir à un des ingrédients qui composent le médica-ment comme le lactose, l'amidon de maïs, le talc ou les colorants. On devra alors évaluer rapidement si les symptômes ressentis sont causés par l'ingrédient médicinal, par une intolérance ou par une allergie à l'un des composants non médicinaux.

La lévothyroxine (T4)

La lévothyroxine est une forme synthétique de thyroxine (T4). Elle est aussi connue sous les appellations de L-thyroxine, lévo-thyroxine sodique et T4 synthétique. On la nomme fréquemment sous sa marque de commerce la plus connue, Synthroid^MD. Au Canada, elle est également vendue sous le nom d'Eltroxin^MD. Les deux médicaments contiennent de la lévothyroxine sodique et sont vendus en diverses concentrations, permettant d'ajuster la posologie selon les besoins de chacun.

La lévothyroxine est utilisée comme traitement de suppléance dans les cas d'hypothyroïdie de toute étiologie. Bien que leur action soit très similaire, les diverses marques de commerce peuvent être un peu différentes en termes d'activité et de biodis-ponibilité. Pour cette raison, les produits contenant de la lévothyroxine ne sont pas toujours interchangeables, c'est-à-dire que lorsque le traitement est commencé en utilisant une certaine marque de médicament, on devrait s'y tenir et éviter d'en changer sans bonne raison. Si le changement est inévitable, le patient devra être réévalué et un changement de posologie pourrait être nécessaire[3].

Comme pour tout médicament, l'utilisation de la lévothyroxine requiert quelques précautions. Les préparations d'hormones thyroïdiennes sont généralement contre-indiquées en cas d'insuffisance surrénalienne non corrigée, de thyrotoxicose (manifestations liées à un excès d'hormones thyroïdiennes), d'infarctus du myocarde et d'allergie ou d'intolérance à l'un des ingrédients du comprimé. Le comprimé de Synthroid^MD est sans gluten, mais il contient du lactose et de la tartrazine (FD&C jaune n° 5), un colorant jaune pouvant provoquer des allergies. L'Eltroxin^MD est sans gluten ni tartrazine, mais il renferme aussi du lactose. Comme la lévothyroxine peut interagir avec un certain nombre de médicaments, il est absolument essentiel d'aviser le médecin et le pharmacien de tous les médicaments consommés, avec ou sans ordonnances.

De préférence, on suggère de prendre votre médicament le matin sur un estomac vide, au moins une demi-heure à une heure avant de manger, avec un grand verre d'eau. La présence de nourriture dans l'estomac peut entraver l'absorption de l'hormone de substitution. Certaines personnes insistent qu'elles se sentent mieux quand elles prennent leur médicament le soir au coucher. En fait, le plus important est de le prendre à la même heure et de la même façon chaque jour (avec ou sans nourriture), ce qui assure un taux plus uniforme de thyroxine dans la circulation sanguine. Une dose oubliée depuis moins de 12 heures peut être prise immédiatement. Si plus de 12 heures se sont écoulées, il convient de sauter cette dose complètement. On ne doit jamais doubler la dose.

On doit éviter de prendre la lévothyroxine en même temps que d'autres médicaments, suppléments alimentaires ou suppléments de fibres, car certaines combinaisons peuvent accroître ou diminuer le besoin d'hormones thyroïdiennes. Par exemple, la prise d'œstrogènes sous forme d'hormonothérapie de remplacement ou d'anovulant et la testostérone peuvent influencer le dosage de la thyroxine. Ils causent l'augmentation du taux d'une certaine protéine (protéine de transport) qui se lie à l'hormone thyroïdienne en la rendant partiellement inactive; une dose plus élevée d'hormone de substitution est alors nécessaire. La lévothyroxine peut potentialiser l'effet de certains antidépresseurs tricycliques (doxépine, amitriptyline, désipramine, imipramine) et anticoagulants (warfarine, héparine). Par contre, l'effet de l'hormone de remplacement peut être amoindri par le chlorhydrate de sertraline (Zoloft[MD]), la paroxétine (Paxil[MD]) et la fluoxétine (Prozac[MD])[4].

Certains anticonvulsivants (Dilantin[MD], Tégrétol[MD]), certains hypocholestérolémiants comme la résine de cholestyramine (Questran[MD]) et le chlorhydrate de colestipol (Colestid[MD]), ainsi que le Rifampin[MD] contre la tuberculose peuvent nécessiter une augmentation de la dose d'hormones de remplacement, car ceux-ci accélèrent le métabolisme de la lévothyroxine[5]. L'adjonction de l'hormonothérapie thyroïdienne au traitement contre le diabète peut accroître le besoin en insuline ou en hypoglycémiants oraux chez les diabétiques[6]. Les suppléments de calcium, les antiacides qui contiennent du calcium ou de l'hydroxyde d'aluminium, les comprimés de fer et les vitamines contenant du fer peuvent entraver l'absorption de la lévothyroxine[7].

On recommande d'espacer la prise de la lévothyroxine et d'un supplément de fer d'au moins trois heures, et celle du calcium, du jus d'orange fortifié de calcium, ainsi que des antiacides qui contiennent du calcium ou de l'hydroxyde d'aluminium d'au moins quatre heures. Les aliments à base de soya pourraient diminuer l'absorption de la thyroxine; l'intervalle de quatre heures est conseillé. De même, si vous souffrez d'une maladie qui réduit la capacité d'absorption de l'intestin, comme la maladie cœliaque ou la maladie de Crohn, il est possible que vous ayez besoin d'un dosage plus élevé.

Tout signe ou symptôme qui apparaît peu après le début du traitement doit être immédiatement rapporté au médecin: douleur thoracique, pouls accéléré, palpitations, sudation excessive, intolérance à la chaleur, nervosité ou autre. Ces symptômes peuvent indiquer un excès d'hormones thyroïdiennes.

La liothyronine (T3)

La liothyronine est une forme synthétique de l'hormone thyroïdienne naturelle triiodothyronine (T3). Au Canada et aux États-Unis, la liothyronine sodique est vendue sous la marque de commerce Cytomel[MD]. Le médicament est offert en deux différentes concentrations et son comprimé est sans lactose, ni gluten, ni parabènes, ni sulfites, ni levure, ni tartrazine. Les mêmes mesures de précaution s'appliquent à la prise de la liothyronine et à celle de la lévothyroxine. Elle est contre-indiquée en cas d'insuffisance surrénalienne non corrigée, de thyrotoxicose, d'infarctus du myocarde et d'allergie ou d'intolérance à l'un des ingrédients du comprimé. Les risques d'interaction avec les médicaments sont les mêmes que ceux mentionnés pour la lévothyroxine.

L'action des hormones thyroïdiennes dans l'organisme revient majoritairement à la T3, la forme la plus biologiquement active des deux hormones ; une grande partie de la triiodothyronine en circulation provient de la conversion de la T4 en T3 par le foie et d'autres organes. Ce processus de conversion est rarement affecté et il continue comme il se doit chez la plupart des hypothyroïdiens. Bien que la liothyronine soit connue depuis plus de 50 ans tout comme la lévothyroxine, les médecins se tournent plus volontiers vers la lévothyroxine lorsqu'ils établissent un traitement pour l'hypothyroïdie. Comme la doctrine médicale stipule que la T4 est convertie en T3 par le corps, certains médecins ont pu déduire qu'il n'y a aucune raison de remplacer d'autres hormones thyroïdiennes que la T4. Conséquemment, l'utilisation de la liothyronine semble plutôt réservée comme dernier recours, lorsque les résultats escomptés avec la lévothyroxine ne sont pas au rendez-vous. Malheureusement, pour un certain nombre de personnes, les symptômes et le mal-être persistent même après l'instauration du traitement à base de lévothyroxine, souvent avec des taux sanguins revenus à la « normale ».

Ken Blanchard, un endocrinologue d'expérience et auteur du livre *What Your Doctor May Not Tell You About Hypothroidism*, en est arrivé à la solution du 2 %. Après avoir prescrit la liothyronine sous différentes formes à ses patients depuis plus de 15 années, il a conclu que le traitement optimal pour la plupart des hypothyroïdiens est un ratio de 98 % de T4 et 2 % de T3. Certains patients considèrent que cette combinaison leur a sauvé la vie après des années de malaises incapacitants incluant, entre autres, la fatigue, les maux de tête et la dépression. Il admet qu'un petit nombre de ses patients se sentent très bien avec 100 % de lévothyroxine ; il continue alors de la leur prescrire car le but premier est le bien-être des patients[8].

La liothyronine doit être prise à jeun comme la lévothyroxine, généralement une fois par jour, bien que certaines personnes préfèrent la diviser en deux ou trois doses qu'elles prennent au cours de la journée. Elles affirment que l'hormonothérapie est alors plus efficace, que leur état est plus stable et qu'elles évitent ainsi les sensations accablantes de hauts et de bas. Comme la liothyronine agit rapidement, habituellement en quatre heures, il est effectivement possible que certains individus très sensibles aux variations hormonales puissent bénéficier d'une posologie quotidienne partagée en deux ou trois doses. La liothyronine a une demi-vie de deux jours et demi. Comparativement, la lévothyroxine a un temps d'action beaucoup plus long, ce qui explique qu'une seule dose quotidienne soit suffisante pour stabiliser le taux hormonal; elle reste dans la circulation sanguine plus d'une semaine.

Les débats concernant les bienfaits de la liothyronine s'éternisent. Pourtant, si son utilisation peut offrir une meilleure qualité de vie aux milliers de personnes non soulagées par la lévothyroxine seule, son ajout au traitement ne serait-il pas une solution de rechange intéressante qu'il vaut la peine d'essayer? De plus, l'extrait de thyroïde desséchée utilisé pour traiter l'hypothyroïdie depuis plus de 100 ans, bien avant la découverte des hormones thyroïdiennes synthétiques, renferme les deux facteurs hormonaux, soit la lévothyroxine (T4) et la liothyronine (T3). Un médicament vendu seulement aux États-Unis sous la marque de commerce Thyrolar[MD] contient lui aussi les formes synthétiques de ces deux hormones.

Les extraits thyroïdiens naturels

C'est vers la fin des années 1800 qu'on a commencé à utiliser l'extrait de glande thyroïde animale pour traiter le goitre ou l'hypothyroïdie. La Food and Drug Administration (FDA), l'administration américaine des denrées alimentaires et des médicaments, a approuvé son utilisation dès 1939. Il a perdu de sa popularité lorsque la thyroxine synthétique est devenue facilement accessible dans les années 1960, après avoir été reproduite chimiquement pour la première fois en 1949. Pourtant, encore aujourd'hui, l'extrait thyroïdien desséché est toujours recommandé par certains médecins et exigé par des centaines de milliers d'hypothyroïdiens. Il est très important de faire la différence entre cet extrait hormonal vendu sur ordonnance médicale seulement et les produits à base de thyroïde animale qu'on trouve dans les magasins de produits naturels.

Tiré des glandes thyroïdes porcines, l'extrait thyroïdien desséché détient l'avantage de contenir les facteurs hormonaux T3 et T4, en plus d'autres moins connus, les T1 et T2. Certaines recherches ont démontré que la T2 augmente le rythme métabolique du corps. Comme la nature fait bien les choses, on peut soupçonner que la présence des T1 et T2 n'est pas fortuite ; les recherches continuent afin de déterminer le champ d'action de ces deux hormones. Lorsque la thyroxine synthétique a fait son apparition, il semble qu'après en avoir fait l'essai bien des patients aient insisté pour retourner à leur traitement original d'extrait desséché clamant qu'ils se sentaient beaucoup mieux avec les hormones naturelles. Ce phénomène semble persister de nos jours ; les gens se plaignent souvent de fatigue, d'apathie et d'incapacité à travailler comme ils en avaient l'habitude lorsque leur médecin change leur ordonnance de l'extrait desséché à la thyroxine synthétique. Encore aujourd'hui, l'extrait thyroïdien est très en demande.

Aux États-Unis, la préparation de glande thyroïde desséchée est vendue, entre autres, sous la marque de commerce Armour[MD] Thyroid. Les comprimés ne contiennent ni gluten ni lactose. Le produit canadien équivalent se nomme Thyroïde[MD] ; il est sans gluten, ni lactose, ni parabènes, ni sodium, ni sulfites, ni tartrazine. L'administration de l'extrait thyroïdien desséché nécessite les mêmes précautions par rapport aux contre-indications et aux interactions médicamenteuses que la lévothyroxine et la liothyronine. L'effet thérapeutique optimal est atteint après quatre à six semaines, c'est-à-dire dans les mêmes délais que l'hormonothérapie synthétique (parfois jusqu'à 10 semaines).

**

Le but ultime visé par le traitement de l'hypothyroïdie, à part des résultats sanguins dans la «limite de la normale», est sans contredit que la personne retrouve son équilibre et qu'elle puisse fonctionner normalement au quotidien. Si, pour cela, elle doit prendre quotidiennement un comprimé de lévothyroxine, une combinaison de lévothyroxine et de liothyronine, ou encore un extrait thyroïdien desséché, voire un peu de lévothyroxine en plus d'un extrait animal, eh bien, pourquoi pas? L'essentiel est que les multiples symptômes disparaissent et que la vie reprenne enfin un sens. Votre meilleur allié vers ce mieux-être sera votre médecin même s'il vous faut remuer ciel et terre pour trouver celui qui vous entendra. Pour vous guider dans votre recherche, certains sites Internet s'intéressant aux maladies thyroïdiennes ont établi des listes de médecins compatissants selon les régions où vous habitez.

Bref rappel historique

- Emil Theodor Kocher (1841-1917), un chirurgien suisse, prix Nobel 1909, a perfectionné l'ablation de la thyroïde, soit la thyroïdectomie.

- En 1890, Antonio-Maria Bettencourt-Rodrigues et José-Antonio Serrano, des médecins français, ont transplanté la thyroïde d'un mouton dans la poitrine d'une patiente souffrant d'un myxœdème.

- En 1891, George Murray a administré à une patiente un extrait de thyroïde de mouton par injection après lui avoir ajouté de la glycérine et de l'acide carbolique.

- En 1892, Edward Fox (1856–1938) a démontré que la prise orale de l'extrait de thyroïde de mouton fonctionnait aussi bien que l'injection.

- En 1894, le laboratoire Merck a commercialisé la thyroïde desséchée sous le nom de *Thyroidinum siccatum*. Celle-ci a été prescrite pendant près d'un siècle.

- La structure chimique de la thyroxine a été mise au jour en 1927 et reproduite chimiquement en 1949.

- La thyroxine synthétique est devenue facilement accessible dans les années 1960.

Chapitre 5

L'hypothyroïdie à tous âges

La thyroïde est une glande qui peut travailler sous son rendement optimal pendant des années avant que des signes cliniques évidents se révèlent et qu'un diagnostic d'hypothyroïdie soit finalement établi. L'hérédité, une carence en iode, le stress prolongé, l'hypofonctionnement des glandes surrénales, la malnutrition, l'intoxication par les métaux lourds, le manque d'exercice et bien d'autres facteurs déjà vus peuvent entrer en ligne de compte. Comme l'hypothyroïdie tend à avoir des répercussions sur toutes les cellules du corps, il est crucial qu'elle soit diagnostiquée et traitée le plus tôt possible. Chaque étape de la vie présente ses joies et ses peines, mais vivre avec un taux insuffisant d'hormones thyroïdiennes peut causer plus que sa part de difficultés à chacune d'elles.

La femme

La femme est en fait un être hormonal ; de la phase de la puberté à l'âge adulte, les modifications hormonales s'enchaîneront sans cesse jusqu'à la ménopause. Alors que les changements hormonaux qui s'opèrent normalement dans le corps de la femme sont déjà bien compliqués, imaginez ce que l'ajout d'un autre déséquilibre hormonal tel que l'hypothyroïdie peut causer comme problème.

Des concentrations appropriées d'hormones thyroïdiennes dans le sang sont nécessaires à la production des hormones féminines. L'hypothyroïdie vient donc troubler le rythme normal des hormones chez la femme, entre autres, celui de l'œstrogène et de la progestérone. Il en découle plusieurs problèmes : un syndrome prémenstruel modéré à sévère, des menstruations irrégulières, une diminution de leur fréquence, l'aménorrhée (absence des règles), la ménorragie (écoulement menstruel exagéré), une diminution quantitative des règles, l'anovulation, des troubles de conception et un plus grand risque d'avortement spontané (fausse couche), de bébé mort-né ou de prématurité.

Plusieurs études affirment qu'un traitement adéquat de l'hypothyroïdie peut diminuer les anomalies menstruelles et améliorer les chances de concevoir un enfant. Si l'ovulation et la conception ont bien lieu, une baisse du taux de progestérone causée par le déséquilibre thyroïdien pourrait empêcher l'implantation de l'embryon dans l'utérus. D'après des recherches récentes au département d'endocrinologie de l'université libre de Bruxelles, en Belgique, les femmes enceintes souffrant d'une maladie thyroïdienne auto-immune courent un risque plus important d'avortement spontané durant le premier trimestre comparativement aux femmes souffrant d'une maladie thyroïdienne non auto-immune même en période d'euthyroïdie (état normal de fonctionnement de la thyroïde) avant la grossesse. On a conclu que les femmes souffrant d'un dysfonctionnement thyroïdien devraient recevoir de la lévothyroxine dès le début de la grossesse pour éviter toutes complications liées à celle-ci. Plusieurs articles scientifiques appuient ces dires. La controverse persiste, à savoir s'il faut ou non traiter les femmes euthyroïdiennes mais testant positives aux anticorps antithyroïdiens avant et durant la grossesse[9].

Comme la grossesse nécessite plus de thyroxine qu'à l'habitude dans l'organisme, il arrive qu'un trouble thyroïdien non diagnostiqué soit révélé à ce moment, alors que la glande n'arrive plus à combler le besoin accru d'hormones thyroïdiennes. La femme enceinte déjà sous traitement peut devoir augmenter ses dosages légèrement selon les résultats de ses tests sanguins. La concentration d'hormones thyroïdiennes en circulation doit augmenter car la glande thyroïde de la mère doit combler à la fois ses propres besoins et ceux du fœtus.

La thyroïde du fœtus commence à fonctionner entre la dixième et la douzième semaine de gestation, mais il est probable que de petites quantités d'hormones thyroïdiennes de la mère continuent de traverser le placenta jusqu'au bébé. Celle-ci devra s'assurer d'un apport suffisant en iode dans son régime alimentaire car elle devra en fournir une part au bébé. Autre fait, une quantité d'iode plus importante que normale est excrétée dans l'urine de la femme enceinte. Les besoins quotidiens en iode peuvent jusqu'à doubler pendant la grossesse. L'iode traverse le placenta afin d'être utilisé par la thyroïde du fœtus pour produire ses propres hormones thyroïdiennes. Ces dernières sont absolument vitales au bon développement du système nerveux central du fœtus.

La femme enceinte doit rester vigilante tout au cours de sa grossesse. Elle peut insister auprès de son médecin afin qu'il vérifie son taux d'hormones thyroïdiennes plus souvent qu'à l'accoutumée. Bien que le danger d'un avortement spontané soit toujours plus grand durant le premier trimestre, l'hypothyroïdie augmente également les risques d'une fausse couche en cours du deuxième trimestre. Les femmes non traitées sont plus aptes à souffrir d'hypertension ou d'accoucher prématurément au troisième trimestre.

Selon l'endocrinologue Ken Blanchard, une légère augmentation de la dose de médicament peut éliminer les symptômes de fatigue et de reflux acide si souvent liés à la grossesse. Il ajoute qu'une grossesse hivernale peut aussi nécessiter une augmentation du dosage, car le corps devra jongler avec l'hypothyroïdie, la grossesse et la température plus froide. D'après lui, les changements de saison ont une influence importante sur les taux d'hormones thyroïdiennes. Un climat froid en requiert davantage pour combler des besoins énergétiques et calorifiques plus grands, et la réserve thyroïdienne ne suffit tout simplement plus à la tâche, encore moins pendant la grossesse.

Toutes les femmes infertiles ou ayant subi des avortements spontanés récidivants devraient exiger un dépistage de la maladie thyroïdienne. L'infertilité fait habituellement référence à l'incapacité de concevoir après un an d'essais réguliers sans méthodes contraceptives. Lorsque le bilan sanguin indique une hypothyroïdie subclinique, plusieurs médecins préfèrent ne pas traiter immédiatement et optent plutôt d'attendre les prochains résultats dans un délai de six mois ou d'un an. Pour la femme qui désire un bébé, cette attente peut sembler interminable. Demandez qu'on vous explique clairement vos résultats et discutez des avantages et des désavantages du traitement médicamenteux. Certaines femmes s'entendent avec leur médecin pour faire une période d'essai de traitement afin d'évaluer les changements.

Plusieurs d'entre elles s'inquiètent à l'idée de prendre un médicament durant la grossesse et l'allaitement. Dans le cas de l'hypothyroïdie, il est assurément plus dangereux de ne pas en prendre. Le traitement par hormone de substitution aide non seulement à rétablir des indices thyroïdiens anormaux, mais il peut permettre à la femme de s'épanouir dans la maternité, tout en diminuant les risques de fausses couches et en garantissant la santé physique et mentale de l'enfant.

Lorsque l'hypothyroïdie est sous contrôle, il n'y a aucune raison de ne pas allaiter le nouveau-né. Une part du médicament de la mère se retrouvera dans le lait maternel, mais il ne posera aucun risque au bébé. L'allaitement est parfois plus difficile pour certaines femmes qui n'arrivent pas à produire suffisamment de lait. Des groupes de soutien pro-allaitement comme la Ligue La Leche pourront les guider dans leurs démarches. Dans certains cas, il faudra se résigner à ajouter un biberon de lait maternisé à l'occasion pour assurer une croissance normale à l'enfant.

L'année qui suit la naissance du précieux poupon bouleverse quelque peu la routine. Les chutes rapides des taux d'œstrogène et de progestérone, le stress associé à devenir mère et les changements de style de vie qui s'y rapportent peuvent rendre la femme plus vulnérable aux dérèglements de la fonction thyroïdienne. De plus, on voit souvent un lien entre la glande thyroïde et la dépression post-partum ; en effet, le déséquilibre thyroïdien cause ou exacerbe la dépression qui suit parfois la naissance. Ainsi, toutes les femmes qui souffrent de dépression post-partum devraient se soumettre à une évaluation de leur fonction thyroïdienne, incluant le dépistage des anticorps antithyroïdiens.

La thyroïdite auto-immune affecte de 5 % à 10 % des femmes en période de post-partum[10]. Ce dérèglement thyroïdien peut commencer aussi rapidement que de un à deux mois après l'accouchement et peut se présenter de différentes façons. On peut souvent distinguer trois phases distinctes : une hyperthyroïdie transitoire, qui peut durer de deux à trois mois, suivie d'une période d'hypothyroïdie (habituellement vers le quatrième mois post-partum), puis un retour spontané à des concentrations d'hormones thyroïdiennes normales. Ce retour se produit habituellement vers le septième ou huitième mois. Seul un petit nombre de ces femmes auront besoin d'un traitement de substitution de courte durée. Certaines souffriront d'une seule forme de dysfonctionnement transitoire, soit l'hyperthyroïdie ou l'hypothyroïdie. D'autres encore développeront un dysfonctionnement permanent, soit la thyroïdite auto-immune d'Hashimoto ou la maladie de Basedow. Les femmes qui auront été affligées par un dérèglement thyroïdien post-partum seront plus aptes à souffrir d'un trouble semblable après leurs prochaines grossesses. De même, plusieurs d'entre elles pourront souffrir d'une anomalie thyroïdienne plus tard au courant de leur vie[11].

La symptomatologie de la ménopause est très semblable à celle des troubles thyroïdiens. Celle-ci arrive doucement sur une période de plusieurs années, parfois plus d'une décennie. Pendant tout ce temps, les taux hormonaux fluctuent sans arrêt; c'est la fluctuation de l'œstrogène plutôt que sa diminution qui cause problème. D'autre part, on sait que cette période de transition hormonale nécessite un surplus d'hormones thyroïdiennes. L'hypothyroïdie apparaît souvent entre l'âge de 35 et 60 ans, soit environ la même période de temps qui englobe la préménopause et la ménopause. La différenciation entre les deux est malaisée si on se fie seulement aux symptômes: fatigue, prise de poids, peau sèche, difficulté à se concentrer, irritabilité, palpitations, dépression. Alors que certaines femmes traversent ce changement avec facilité, pour d'autres, ce sera une période très pénible et encore plus si l'hypothyroïdie se met de la partie en exacerbant les symptômes.

Une étude faite auprès de 350 femmes souffrant de différents symptômes ménopausiques a eu pour but d'évaluer si les dysfonctions thyroïdiennes influençaient la sévérité des symptômes de la ménopause. Les bilans sanguins ont révélé que 21 des femmes (6 %) souffraient d'hypothyroïdie et 18 (5,1 %) d'hyperthyroïdie. Un traitement adéquat a été administré pour soigner les troubles thyroïdiens, alors que les autres ont été traitées par l'œstrogénothérapie de substitution. Les femmes traitées pour la thyroïde ont rapporté une amélioration remarquable des symptômes ménopausiques[12]. Il est donc très important de vérifier le fonctionnement de la glande thyroïde avant de considérer les hormones de remplacement (œstrogène-progestérone).

L'enfant

Le déploiement de la glande thyroïde commence un peu plus de deux semaines après la conception. À la fin du troisième mois de gestation, cette glande commence à produire les hormones thyroïdiennes dont le fœtus a besoin même s'il continuera d'en recevoir une minime quantité de sa mère tout au long de la grossesse. Déjà, durant cette période prénatale, les hormones thyroïdiennes sont absolument essentielles au bon développement du cerveau et du système nerveux. Une carence en iode à ce stade pourrait engendrer des lésions cérébrales, des troubles des systèmes nerveux et cardiaque. Les troubles neurologiques et mentaux qui s'ensuivraient pourraient affecter le quotient intellectuel de l'enfant. Une hypothyroïdie grave non traitée peut être la cause du crétinisme congénital, une forme de retard mental et de dégénérescence physique. On comprend facilement qu'une carence en iode constitue une menace pour la santé de tous, mais qu'elle est encore plus grave chez la femme enceinte et le jeune enfant.

L'Organisation mondiale de la santé estime que, encore aujourd'hui, un tiers de la population mondiale est à risque d'une carence en iode. Bien que ce soit plus évident dans les pays en voie de développement, il semble que le problème existe aussi dans les pays développés[13]. Comme l'iode est un élément indispensable à la synthèse des hormones thyroïdiennes, une quantité suffisante de ce micronutriment doit provenir de l'alimentation.

En réalité, très peu d'iode est nécessaire si on considère que 5 ml (1 cuillerée à thé) suffisent au besoin de toute une vie. Cependant, comme le corps ne peut le stocker, il doit s'en approvisionner régulièrement.

On peut se procurer du sel iodé depuis les années 1920. L'Amérique du Nord et plusieurs pays de l'Europe en font d'ailleurs bon usage. Étant donné que le régime alimentaire nord-américain contient une grande quantité d'iode, les habitants sont rarement carencés. Malgré cela, un petit nombre d'entre eux, surtout des régions des Grands Lacs au Canada et aux États-Unis, sont encore à risque de troubles carentiels. Dans le monde, les gens vivant loin de la mer et ne profitant pas de l'iode provenant du poisson et des produits de la mer comme les algues marines, notamment certaines régions de la Chine, les Himalayas, les Andes et l'Inde, peuvent davantage souffrir d'une carence en iode. Les sols où poussent nos aliments sont souvent pauvres, voire dépourvus, d'éléments nutritifs dont l'iode. L'OMS recommande fortement l'iodation universelle du sel afin de prévenir les handicaps mentaux qui découlent d'une carence en iode et qui sont encore courants aujourd'hui dans plusieurs pays en développement. Il faut noter qu'un excès d'iode alimentaire, sous forme de varech par exemple, peut aggraver les maladies thyroïdiennes, en particulier chez ceux qui souffrent d'affections auto-immunes. Les hyperthyroïdiens doivent éviter les suppléments iodés.

Des faits

- En Éthiopie, même de nos jours, seulement 28 % des familles ont accès au sel iodé[14].

- Chaque jour, environ 113 000 nouveau-nés souffrent d'une déficience en iode (crétinisme)[15].

- En 2000, une étude a révélé que seuls 26 % des ménages de la région de l'Europe centrale et orientale, la Communauté des États indépendants et les États baltes utilisaient une quantité adéquate de sel iodé. D'après un sondage plus récent, ce chiffre atteindrait maintenant 48 %[16].

On recense un cas d'hypothyroïdie congénitale sur 3500 à 4000 naissances. Dans son livre *The Thyroid Solution*, l'endocrinologue Ridma Arem énumère les causes les plus communes d'hypothyroïdie congénitale:

- Une glande thyroïde localisée au mauvais endroit (n'importe où entre l'arrière de la langue et sa position normale);

- Une glande thyroïde peu ou sous-développée;

- Un défaut inné de la production des hormones thyroïdiennes;

- Une déficience hypothalamique ou hypophysaire;

- L'hypothyroïdie transitoire du nouveau-né;

- La prise de médicaments par la mère qui inhibent la production d'hormones thyroïdiennes chez le fœtus (médicaments antithyroïdiens);

- La prématurité;

- Une carence ou un excès d'iode;

- Des anticorps de la mère qui traversent le placenta et affectent la thyroïde du fœtus.

Un dépistage systématique de l'hypothyroïdie congénitale est maintenant effectué quelques jours après la naissance chez tous les nouveau-nés au Canada, aux États-Unis et dans la plupart des pays industrialisés. Il s'agit d'un simple échantillon de sang prélevé au talon du bébé. Il est important que les enfants nés en dehors du milieu hospitalier, comme à la maison, soient aussi testés. La plupart des parents, surtout s'ils ne sont pas déjà confrontés à l'hypothyroïdie, ignorent qu'un tel dépistage est en vigueur et se fient aveuglément au système médical en place. Idéalement, le test sanguin devrait se faire de trois à six jours après la naissance. Comme la mère et le poupon retournent maintenant rapidement à la maison, le suivi post-natal est le moment où on doit s'assurer que tous les tests nécessaires ont été faits.

Une grande partie du développement du cerveau a lieu du stade fœtal à l'âge de trois ans. Une quantité suffisante d'hormones thyroïdiennes et, donc, un apport iodique adéquat sont absolument cruciaux à cette période de la vie afin d'éviter des complications irréversibles. Si l'hypothyroïdie du nouveau-né est traitée dans le mois suivant sa naissance, il y a de fortes chances pour qu'il se développe normalement. Dans le cas où l'hypothyroïdie se développe après l'âge de trois ans, le jeune enfant n'est pas à risque de retard mental. Si le traitement n'est pas administré rapidement, son développement cognitif, physique et sexuel ainsi que la puberté peuvent être perturbés. Effectivement, ce sont les hormones thyroïdiennes associées aux hormones sexuelles et de croissance qui permettent au corps de se transformer.

Les symptômes suivants peuvent évoquer une hypothyroïdie congénitale chez le nouveau-né :

- Prolongation de l'ictère (jaunisse) néonatal ;
- Fontanelle postérieure large ;
- Hypotonie (faiblesse musculaire) ;
- Visage boursouflé, langue épaisse ;
- Extrémités froides, peau marbrée ;
- Pleurs enroués ;
- Difficulté à boire ;
- Constipation, ventre ballonné ;
- Hernie ombilicale ;
- Léthargie (l'enfant dort beaucoup, semble toujours fatigué) ;
- Retard de croissance.

Chez les enfants et les adolescents, les signes et les symptômes sont parfois plus difficiles à déceler :

- Ralentissement de la croissance (stature) ;
- Prise de poids qui semble excessive ;
- Fatigue persistante ;
- Constipation ;
- Frilosité, intolérance au froid ;
- Peau sèche ;
- Dépression ;
- Puberté prématurée ou retardée ;
- Apparition d'un goitre ;
- Troubles menstruels chez la jeune fille ;
- Infections respiratoires à répétition, asthme ;
- Diminution des performances scolaires.

À la période de l'adolescence, la croissance rapide exige un surplus d'hormones thyroïdiennes en circulation. Cela devient d'autant plus important de surveiller les enfants dont les antécédents familiaux comportent une composante thyroïdienne ou de maladies auto-immunes. Il peut être ardu de différencier ce qui est typiquement normal pour un adolescent de ce qui peut indiquer l'hypothyroïdie. Par exemple, qui n'a pas connu un ado qui dort jusqu'au milieu de la journée en se disant fatigué? La fatigue ne devrait pas l'empêcher de vaquer à ses occupations. Il ne devrait pas s'endormir durant la journée, ni perdre l'appétit, ni souffrir d'insomnie, de maux de tête ou de douleur. Une diminution des performances scolaires causée par une fatigue sans fondement pourrait aussi révéler un trouble thyroïdien. De même, le rythme de croissance physique peut être plus lent chez un jeune hypothyroïdien non traité. En effet, il peut sembler de trois à quatre ans plus jeune que son âge réel et avoir peu de poils. Les menstruations peuvent se faire attendre chez la jeune fille ou encore elles peuvent commencer très tôt, avant l'âge de 11 ans. Un examen médical complet, incluant un bilan sanguin, aura tôt fait de dissiper l'inquiétude.

Certaines recherches suggèrent que des infections fréquentes et récidivantes des amygdales et du larynx chez l'enfant pourraient provoquer une fixation des bactéries et de complexes auto-immuns sur la glande thyroïde et, ainsi, aboutir à une thyroïdite chronique, puis éventuellement à l'hypothyroïdie.

Il semble y avoir une corrélation entre certaines maladies et l'hypothyroïdie. Par exemple, on note une incidence accrue d'hypothyroïdie congénitale chez les nourrissons atteints de trisomie. Une étude examinant la dysfonction thyroïdienne chez les enfants trisomiques a révélé une prévalence de l'hypothyroïdie congénitale chez 1,8 % d'entre eux et que 25,3 % ont montré des signes révélateurs d'hypothyroïdie subclinique. Les médecins ont donc recommandé que tous les trisomiques ayant des fonctions thyroïdiennes normales aient un dépistage annuel pour l'hypothyroïdie et que tous les autres aient un suivi tous les trois mois[17]. Comme la pathologie thyroïdienne peut faire son apparition à tout âge, un suivi rigoureux sera nécessaire à long terme.

De même, plusieurs études ont démontré une prévalence de la maladie thyroïdienne chez la population atteinte de diabète du type 1 (diabète juvénile). Une étude suggère que 5 % des enfants qui en sont atteints testent positifs pour les anticorps antithyroïdiens indiquant la thyroïdite auto-immune[18]. Une fois encore, l'association de ces deux maladies auto-immunes semble avoir une préférence pour le sexe féminin, mais le jeune garçon n'en est pas exempt pour autant. Les enfants diabétiques du type 1 ayant des tests positifs d'anticorps antithyroïdiens sont plus à risque de développer une hypothyroïdie franche que ceux qui testent négatifs aux anticorps. Les bilans de santé annuels chez la population diabétique doivent inclure un dosage de TSH et des anticorps antithyroïdiens.

L'homme

Bien que l'hypothyroïdie frappe la femme de cinq à sept fois plus souvent que l'homme, ce dernier n'est pas dispensé des souffrances qui y sont associées pour autant. La plupart des symptômes sont les mêmes, sans oublier l'asthénie et la prise de poids. D'après l'endocrinologue Ken Blanchard, l'homme serait plus susceptible au stress, aux infections, à la perte de cheveux, à l'hypercholestérolémie et aux maladies cardiaques.

Les problèmes thyroïdiens viennent souvent exacerber un trouble de la sexualité, quand il n'en est pas tout simplement la cause. Pour cette raison, l'homme doit partager avec son médecin toutes ses inquiétudes, incluant celles qui minent sa vie sexuelle. Une étude a été faite afin d'évaluer la prévalence des dysfonctions sexuelles chez des hommes atteints d'hyperthyroïdie et d'hypothyroïdie, et la résolution du problème à la suite de la normalisation du taux d'hormones thyroïdiennes. L'équipe a recruté 48 hommes, dont 34 hyperthyroïdiens et 14 hypothyroïdiens. À l'aide d'un questionnaire, on a décelé les problèmes suivants ; il est à noter que seuls trois des hommes du groupe ne présentaient aucun trouble sexuel :

	Hyperthyroïdiens	Hypothyroïdiens
Baisse de libido	17,6 %	64,3 %
Trouble érectile	14,7 %	64,3 %
Éjaculation précoce	50 %	7,1 %
Retard à l'éjaculation	2,9 %	64,3 %

Dans chacun des cas, lorsque la fonction thyroïdienne a été régularisée, les troubles sexuels se sont améliorés de façon significative. Le désir sexuel est revenu chez la majorité des hommes des deux groupes. La plupart des cas de retard à l'éjaculation chez les hyperthyroïdiens ont été résolus, alors que le taux de succès a été de 50 % chez les hypothyroïdiens. L'éjaculation précoce chez les hyperthyroïdiens est passée de 50 % à 15 %, et elle a presque disparu chez les hypothyroïdiens. Les troubles érectiles ont aussi diminué de façon significative pour presque disparaître chez les hypothyroïdiens[19].

Les troubles thyroïdiens, tant l'hyperthyroïdie que l'hypothyroïdie, peuvent aller jusqu'à provoquer la stérilité chez l'homme, car une concentration adéquate d'hormones thyroïdiennes est nécessaire à la production des spermatozoïdes. L'hyperthyroïdie semble modifier le métabolisme des stéroïdes sexuels naturels (testostérone), la spermatogenèse (formation des spermatozoïdes), la motilité des spermatozoïdes et la fertilité. Bien que les effets de l'hypothyroïdie soient plus subtils ou tout simplement moins connus, ils affectent également le métabolisme de la testostérone et sont associés à l'infertilité. Tous ces troubles sont réversibles avec le retour de l'euthyroïdie[20].

Les personnes âgées

La prévalence des troubles thyroïdiens augmente avec le vieillissement, et les femmes sont plus particulièrement à risque. Plusieurs dépistages systématiques chez les aînés ont révélé une augmentation des taux de la thyréostimuline (TSH) chez environ 15 % à 20 % des sujets de plus de 60 ans, comparativement à 10 % avant l'âge de 50 ans. Encore une fois, le risque était de trois à quatre fois plus élevé chez les femmes que chez les hommes.

Ridha Arem affirme que la taille de la glande thyroïde décroît avec l'âge et que sa structure et sa fonction se détériorent graduellement. Il ajoute que la capacité de conversion de la T4 en T3 dans les tissus étant réduite, le métabolisme basal diminue aussi. Les manifestations de la sénescence, c'est-à-dire du processus physiologique du vieillissement, peuvent s'apparenter de près à celles de l'hypothyroïdie : léthargie, fatigue, apathie, troubles de mémoire et de concentration, dépression, peau sèche, baisse de la température corporelle, prise de poids, constipation, hypercholestérolémie, anémie. On peut alors se demander combien de cas d'hypothyroïdie non détectés se camouflent sous l'apparence de démence sénile.

La communauté médicale se penche toujours sur le sujet controversé de l'hypothyroïdie subclinique. Une étude récente évoque la possibilité que le choix de traiter ou non pourrait dépendre de la tranche d'âge du patient. On s'est rendu compte que la population choisie pour la plupart des études touchant à l'hypothyroïdie subclinique par rapport à l'athérosclérose et les maladies cardiovasculaires avait entre 55 et 60 ans. Or, chez les personnes de plus de 85 ans, on suggère qu'une légère diminution de l'activité thyroïdienne pourrait être bénéfique. On ajoute qu'un traitement de l'hypothyroïdie subclinique pourrait porter préjudice à la santé de ces aînés. L'étude conclut que bien que l'hypothyroïdie subclinique non traitée puisse augmenter les risques de problèmes cardiovasculaires chez les gens d'âge moyen et les jeunes aînés, elle n'entraîne aucun risque pour la santé des personnes très âgées et qu'il est même possible qu'elle joue un rôle protecteur chez celles-ci[21].

Les animaux

Le meilleur ami de l'homme, le chien, peut lui aussi souffrir d'hypothyroïdie. Cette maladie canine potentiellement héréditaire est plus fréquente chez les chiens d'âge moyen (de deux à cinq ans). Certaines races y sont plus prédisposées, notamment le golden retriever, le labrador, le doberman, le setter, le chow-chow, le teckel, le beagle et l'épagneul. On remarque que plusieurs symptômes sont très semblables à ceux des humains : poils secs et ternes, clairsemés, pellicules, tendances aux infections cutanées, léthargie, fatigue, prise de poids non fondée, intolérance au froid, ralentissement du rythme cardiaque, faiblesse, raideurs musculaires, anémie, dépôts de lipides dans la cornée. Tout comme chez l'être humain, l'amélioration de l'état peut prendre du temps[22]. Les chevaux peuvent également souffrir d'hypothyroïdie, alors que les chats ont plutôt tendance à l'hyperthyroïdie.

Chapitre 6

L'approche globale

Lorsqu'on est aux prises avec des symptômes d'origine inconnue depuis des mois, voire des années, le diagnostic d'hypothyroïdie peut sembler un cadeau du ciel. «Une petite pilule chaque jour et tout va rentrer dans l'ordre» est une phrase encourageante, tant pour le client soulagé de ne pas souffrir de bien pire maladie que pour le médecin fier d'avoir mis le doigt sur le bobo. Toutefois, est-ce vraiment aussi simple? Un très grand nombre d'hypothyroïdiens vous diront que non. Pour plusieurs d'entre eux, les malaises persistent même s'ils respectent l'ordonnance médicale à la lettre. Souvent, il suffira de rajuster le dosage ou d'expérimenter avec un autre médicament pour recouvrer le mieux-être. Malgré tout, une foule de gens se sentent laissés pour compte.

Qu'ils soient déjà diagnostiqués avec une maladie thyroïdienne, en voie de le devenir (hypothyroïdie subclinique) ou encore ignorant des causes de leur trouble de santé, les gens auront des choix à faire. De prime abord, le manque d'informations est tout simplement aberrant. Lorsqu'on souffre de cancer, de sclérose en plaques, d'arthrite ou de diabète, on cherche à s'informer avant d'accepter un traitement. Il s'avère peut-être que l'hypothyroïdie ne soit pas assez effrayante, car un trop grand nombre de patients sont prêts à accepter le diagnostic sans protester et à commencer le traitement médicamenteux sans même le mettre en doute. La plupart des gens opteront pour la facilité de la petite pilule sans même explorer les solutions de rechange. Pourtant, elles existent et méritent d'être mentionnées.

Si un foie malade peut se régénérer, les reins se nettoyer, le pancréas se rééquilibrer, pourquoi la glande thyroïde n'aurait-elle pas droit à une période de grâce? Lorsque la prise du médicament est instaurée depuis plusieurs mois, le système thyroïdien reconnaît qu'il n'a plus besoin de produire les hormones thyroïdiennes, vu qu'il y en a suffisamment en circulation. Il ne lui reste plus qu'à fermer boutique; la thyroïde cesse alors sa production d'hormones. Le patient devra continuer son traitement pendant de longues années, la plupart du temps à vie.

Dans son livre *Les glandes endocrines et notre santé*, le docteur Paul Dupont a écrit: «Lorsque les troubles qui donnent naissance à un déséquilibre thyroïdien ne sont pas rapidement corrigés, il peut s'ensuivre une véritable maladie de la glande thyroïde.» Voilà qu'il y a une lueur d'espoir! Est-ce possible qu'une correction puisse stopper la dégradation en cours dans l'organisme et restaurer le bon fonctionnement du mécanisme thyroïdien?

La thyroïde est bombardée d'éléments toxiques à longueur de journée. On oublie trop souvent que le corps est un tout et que pour fonctionner en harmonie, chaque composante doit livrer sa marchandise sans embûches. Tout ce qui pénètre dans l'organisme a des répercussions sur son fonctionnement, que ce soit les aliments qu'on mange, l'air qu'on respire, l'eau qu'on boit ou le stress qu'on vit. N'est-il pas évident que lorsqu'un problème se pointe à l'horizon, on doit revoir toute sa façon de fonctionner? Si le radiateur de votre voiture est percé, n'allez-vous pas le faire réparer tout en vous assurant qu'il y a suffisamment d'huile dans le moteur et d'essence dans le réservoir avant de repartir ? Examinons maintenant les facteurs qui peuvent interférer avec le bon fonctionnement de la glande thyroïde.

Le foie et la glande thyroïde

Il existe une relation d'interdépendance entre le foie et la glande thyroïde. Le foie joue un rôle spécifique dans le transport, le métabolisme, la dégradation et l'excrétion des hormones thyroïdiennes. Celles-ci régulent le métabolisme de toutes les cellules, incluant celui des hépatocytes, c'est-à-dire que les hormones thyroïdiennes modulent la fonction hépatique. Les hépatocytes sont des cellules du foie responsables de la synthèse, de la dégradation et du stockage de plusieurs substances. En retour, le foie métabolise les hormones thyroïdiennes et aide à réguler leurs effets dans l'organisme. Donc, un dysfonctionnement de la glande thyroïde peut perturber la fonction du foie, de la même manière qu'un trouble hépatique peut modifier l'activité thyroïdienne ou que certaines maladies peuvent affecter les deux organes en même temps.

Le foie joue un rôle important dans la conversion de la thyroxine (T4) en triiodothyronine (T3). Effectivement, de 30 % à 40 % de la production extrathyroïdienne de la T3 par désiodation enzymatique a lieu dans le foie et les reins. L'hypophyse, le système nerveux central, les muscles et d'autres tissus périphériques produisent de 60 % à 70 % de la T3 extrathyroïdienne[23]. Même lorsque la thyroïde libère une quantité suffisante de thyroxine, si la conversion de celle-ci en T3 ne se fait pas efficacement au niveau du foie, l'individu touché continuera de souffrir inutilement de symptômes d'hypothyroïdie. La dégradation des hormones thyroïdiennes a également lieu au niveau du foie et des reins. Ce lien entre la glande thyroïde et le foie rend plus compréhensible la relation entre l'hypothyroïdie et l'hypercholestérolémie. Comme le foie est responsable du métabolisme du cholestérol et des triglycérides, et que les hormones thyroïdiennes influencent l'homéostasie lipidique hépatique, il s'ensuit qu'un dérèglement de la thyroïde puisse affecter les valeurs sériques des lipides.

Une étude révèle que les maladies du foie sont fréquemment associées à des anomalies de la fonction thyroïdienne, tout particulièrement à une élévation du taux de la TBG (protéine de transport synthétisée par le foie) et de la thyroxine. L'infection par le virus de l'hépatite C est aussi liée à des anomalies thyroïdiennes. On y mentionne que l'association thyroïde-foie peut embrouiller le diagnostic. On suggère alors d'évaluer la fonction thyroïdienne chez tous les patients souffrant de maladies du foie, et de considérer la possibilité d'une maladie thyroïdienne chez les personnes dont les tests révèlent des irrégularités hépatiques non expliquées[24].

Lorsqu'on reconnaît la complexité du lien thyroïde-foie, on saisit mieux l'importance d'une approche multisystémique à la maladie thyroïdienne. Tout ce qu'on fera pour améliorer la fonction hépatique sera bénéfique à l'ensemble du corps, incluant la thyroïde sur le déclin. L'impact sur la santé sera important tant pour l'hypothyroïdien sous traitement, afin de se débarrasser de certains symptômes résiduels, que pour les personnes à risque. Un corps sain a plus de facilité à combattre la maladie et à permettre un bon équilibre hormonal. Lorsqu'on décide de prendre soin de son corps, il reste à l'individu à décider de la méthode à suivre. Bien que la visite médicale et le bilan sanguin soient nécessaires, plusieurs solutions naturelles complémentaires sont possibles. Il est toujours préférable de discuter de votre diagnostic médical avec votre thérapeute afin de guider ses recherches.

Voici une approche intéressante utilisée par plusieurs praticiens de la santé qui peut vous aider à reconnaître vos besoins réels.

La kinésiologie appliquée est une méthode qui permet de déceler les forces et les faiblesses du corps. Elle a été mise au point en 1964 par un chiropraticien américain, George J. Goodheart. Elle part du concept qu'une dysfonction organique est associée à une faiblesse musculaire spécifique. De nos jours, la kinésiologie appliquée est utilisée par les chiropraticiens, les naturopathes, les ostéopathes, les dentistes, les massothérapeutes, de même que par certains médecins, infirmières et nutritionnistes. Le test musculaire se pratique en exerçant une légère pression sur un bras allongé. La réponse musculaire perçue aide, entre autres, à évaluer le fonctionnement des glandes et des organes, à déceler les intolérances alimentaires et les allergies, ou encore les traumatismes émotionnels.

La kinésiologie appliquée s'avère fort utile dans des cas comme l'hypothyroïdie où les tests sanguins ne détectent pas l'affaiblissement de la glande thyroïde qui peut précéder l'apparition de la maladie elle-même de plusieurs mois, et parfois de quelques années. Ce délai permet de rectifier les désordres organiques et peut parfois éviter la descente vers la maladie. Le test musculaire décèle souvent chez la même personne une faiblesse au foie et à la glande thyroïde. Une cure de nettoyage et un soutien adéquat du foie éliminent souvent la faiblesse thyroïdienne, souvent sans avoir à traiter la thyroïde elle-même. Certains clients choisissent l'approche naturopathique à la suite d'un examen médical ayant détecté une hypothyroïdie subclinique, que le médecin traitant veut vérifier à nouveau par un bilan sanguin dans un délai de six mois à un an. Plusieurs clients ayant suivi une thérapie naturelle ont été déclarés en parfaite santé à leur visite médicale.

Le foie est un organe complexe qui exerce plus de 500 fonctions dans le corps ; il neutralise les toxines, combat les infections, fabrique des protéines et des hormones, aide à réguler la glycémie et joue un rôle dans la coagulation du sang. Il est constamment exposé à une multitude de poisons en provenance tant de l'alimentation que de l'air ambiant. En vérité, si on regarde attentivement les facteurs contribuant à la dégradation de la santé thyroïdienne, on réalise rapidement que leur nocivité s'applique également au foie et au reste de l'organisme. Voyons maintenant de plus près les différents agents nuisibles à la santé de la glande thyroïde en nous rappelant qu'ils sont aussi néfastes à la santé hépatique.

Le sucre

Le sucre de canne à son état naturel contient des vitamines B et des minéraux. Le processus de raffinage lui fait perdre ces quelques oligoéléments pour en faire un sucre « raffiné » dénué de tout intérêt nutritif. On lui impute maintenant plusieurs effets délétères sur la santé, notamment l'élévation des taux de cholestérol et de triglycérides, le diabète, l'augmentation du risque de certains cancers (pancréas, estomac, côlon), un effet immunodépresseur et la prolifération de *Candida albicans*.

D'après l'auteure Mary J. Shomon, un certain nombre de personnes souffrant de maladies thyroïdiennes réagissent très mal au sucre raffiné ; elles semblent plus susceptibles à la candidose systémique, au syndrome de résistance à l'insuline et à l'intolérance ou à l'allergie au sucre. On parle de résistance à l'insuline lorsque celle-ci ne peut pas agir normalement au niveau des muscles et du foie. Le pancréas doit produire plus d'insuline car elle n'arrive pas à pénétrer les cellules, d'où la résistance. Cela favorise une accumulation de graisse qui pourrait expliquer en partie le gain pondéral de certains hypothyroïdiens. Dans son livre *Lick the Sugar Habit*, Nancy Appleton insiste que le sucre a un effet dévastateur sur les systèmes immunitaire et endocrinien. Il stimule aussi la division des cellules du foie, augmentant ainsi sa grosseur.

On a souvent comparé le sucre à une drogue entraînant une véritable dépendance. Il est nocif à la santé de tout l'organisme. Il provoque des désordres hormonaux qui épuisent les glandes surrénales et la glande thyroïde. Un excès de sucre dans le sang nécessite une plus grande quantité d'insuline en circulation. Malheureusement, un surplus d'insuline tend à supprimer la conversion de l'hormone T4 en T3.

La caféine

La caféine présente dans le café, le thé, les boissons gazeuses et le chocolat est un stimulant. Elle est en fait une drogue psychotrope, bien que légale, car elle altère la perception et les sens. La caféine a un effet excitant sur le système nerveux central, le cœur, le système digestif et le métabolisme. La plupart de gens peuvent en consommer de petites quantités sans problème. Une quantité modérée de caféine stimule le cerveau ; elle peut réveiller les sens, augmenter l'acuité intellectuelle et atténuer les signes de fatigue. Une consommation exagérée peut créer une dépendance à la caféine et entraîner des symptômes désagréables tels que des palpitations, l'arythmie cardiaque, des troubles respiratoires, l'irritabilité, la nervosité, l'anxiété, les spasmes musculaires et l'insomnie.

Les hypothyroïdiens ont souvent recours à la caféine afin de stimuler leur métabolisme. Le coup de fouet ressenti les aide à compenser momentanément la baisse d'énergie, la fatigue et la somnolence. Ce regain d'énergie éphémère entraîne souvent une dépendance à la caféine car tant que le trouble thyroïdien ne sera pas résolu, la fatigue aura tôt fait de revenir. Ainsi, le cercle vicieux fatigue-caféine-éveil-fatigue s'installera rapidement. On soupçonne que la caféine ait un effet sur les hormones de la glande thyroïde. On a d'ailleurs démontré que la caféine peut modifier le taux de TSH et les hormones thyroïdiennes chez les animaux[25].

La caféine augmente également la quantité d'hormones de stress (cortisol, adrénaline) en circulation, ce qui, à plus long terme, épuise les glandes surrénales. Comme la caféine est métabolisée par les enzymes du foie, une consommation excessive de café, de thé ou de boissons gazeuses entraîne aussi des conséquences hépatiques selon les quantités ingérées. Toute personne souffrant d'hypothyroïdie devrait éliminer ou réduire sa consommation de caféine à un minimum. Elle ne fait qu'accentuer la fatigue, l'anxiété et l'hypersensibilité au stress. La caféine peut ajouter à la problématique des hyperthyroïdiens, surtout ceux qui ne sont pas encore traités ou en cours de traitement. Tout excitant supplémentaire (caféine, tabac, alcool) devrait être évité, tout au moins jusqu'à ce que leur état soit bien stabilisé.

Le tabac

La fumée de la cigarette est composée de 4000 substances toxiques, incluant des carcinogènes, des composés organiques, des solvants et des substances gazeuses. On peut ajouter à cela environ 600 additifs chimiques utilisés dans le processus technologique (agissant sur le goût, l'odeur ou la dépendance)[26].

Diverses recherches confirment que le tabagisme peut aggraver une hypothyroïdie préexistante et avoir des conséquences sérieuses sur le fonctionnement de la glande thyroïde. Plusieurs composantes ajoutées au tabac exercent des effets néfastes sur la santé en général. Ce sont principalement ces additifs qui nuisent à la santé de la glande thyroïde. Par exemple, le cyanure de la cigarette est converti en thiocyanate qui agit comme un agent antithyroïdien. L'augmentation des concentrations de thiocyanate dans le sang inhibe la capture d'iode, c'est-à-dire qu'il bloque l'accès de l'iode à la glande et, de ce fait, affecte la synthèse des hormones thyroïdiennes. La nicotine, pour sa part, entrave la conversion de la T4 en T3. Le risque d'une maladie thyroïdienne semble augmenter proportionnellement à la quantité et à la durée du tabagisme.

Le tabagisme a de multiples effets sur les sécrétions hormonales du corps; il affecte l'hypophyse, la glande thyroïde, les glandes surrénales, le métabolisme du calcium et l'action de l'insuline. Il augmente également les risques et la sévérité de la maladie de Basedow et d'ophtalmopathie qui y est associée, d'ostéoporose et de fertilité réduite. Une autre conséquence à ne pas négliger est que le tabagisme peut affecter le fœtus et les jeunes enfants. Le transfert passif (transfert placentaire, allaitement) des thiocyanates peut modifier la grosseur et le fonctionnement de la glande thyroïde[27]. Une autre étude a démontré que le tabagisme de la mère qui allaite diminue la quantité d'iode disponible dans le lait maternel. Un taux élevé de thiocyanate dans le sang serait responsable de cette carence en iode, qui pourrait affecter la glande thyroïde et augmenter le risque de dommage au cerveau du nouveau-né. Les chercheurs disent que les mères qui allaitent ne devraient pas fumer et que celles qui le font devraient considérer l'ajout d'un supplément d'iode à leur alimentation[28].

Dans son livre *La glande thyroïde en questions*, le docteur Jean-Loup Dervaux soutient que le tabac nuit à la thyroïde de plusieurs façons: «Il favorise l'apparition de goitre ou de nodules thyroïdiens chez les femmes âgées. Il a un effet antithyroïdien accentué par une carence en iode. Le risque de développer une maladie de Basedow est 10 fois plus grand chez les fumeurs. Le tabac favorise la survenue des complications oculaires de la maladie de Basedow. Il réduit l'efficacité de certains traitements : radiothérapie, cortisone. Le risque de survenue d'une thyroïdite chronique auto-immune est supérieur pour les fumeurs. »

Le tabagisme est également dommageable pour tout le système digestif, incluant le foie. Une des responsabilités du foie est de capter, de transformer et d'éliminer les toxines auxquelles l'être humain est exposé. Celles-ci sont nombreuses si on considère tout ce qu'on mange, boit et respire. Au fil des ans, plusieurs recherches ont démontré que le tabagisme diminue la capacité du foie de bien filtrer les toxines. Le tabagisme peut aussi aggraver une maladie du foie. L'abandon du tabagisme, aussi difficile soit-il, donne un répit bien mérité à l'organisme qui, peu à peu, éliminera le surplus de toxines et récupérera de sa vitalité.

L'alcool

Une autre drogue licite qui peut porter préjudice à la santé est l'alcool. Presque chaque système du corps peut souffrir de ses effets nocifs. Une consommation exagérée est particulièrement défavorable au bon fonctionnement du foie et du système nerveux, mais elle peut aussi avoir des conséquences néfastes sur le cœur, le pancréas, l'estomac, les reins et la moelle osseuse. D'importants désordres métaboliques favorisant les maladies thyroïdiennes peuvent être causés par l'alcool. Il interfère également avec la capacité du corps à convertir la T4 en T3.

Une étude récente a analysé l'effet d'une consommation légère à modérée d'alcool sur le volume et la fonction de la glande thyroïde de 1493 personnes. Les chercheurs ont observé une corrélation entre la quantité d'alcool consommée et l'augmentation du volume de la glande thyroïde chez les sujets des deux sexes. La consommation d'alcool a aussi été liée à une baisse du dosage de T4 libre chez les hommes. La prise d'alcool était fortement associée à un plus grand risque chez la femme[29].

Une expérience a été faite sur des brebis enceintes pour connaître les conséquences d'un excès d'alcool sur le fœtus durant la période équivalant au troisième trimestre de gestation. Elle a démontré que chez la brebis, la consommation abusive d'alcool durant le troisième trimestre diminue le taux d'hormones thyroïdiennes en circulation chez la femelle et le fœtus, en plus de diminuer le volume de la glande thyroïde et du thymus[30]. Plus de recherches seront nécessaires afin de déterminer si cette analyse s'applique aussi à la femme enceinte, mais en attendant, il est prudent que celle-ci évite toute boisson alcoolisée.

Les toxines environnementales

Notre corps est constamment soumis à des poisons provenant de toutes parts; notre alimentation en est saupoudrée et l'air que nous respirons contient des toxines volatiles invisibles à l'œil nu. L'exposition continue provoque une accumulation de substances toxiques dans l'organisme qui a souvent des répercussions importantes sur son fonctionnement. Les «perturbateurs endocriniens» qui peuvent altérer les fonctions de nos glandes endocrines sont présents dans l'environnement. Ces polluants incluent les pesticides, les produits chimiques et les déchets industriels, les produits pharmaceutiques, les composés naturels (œstrogènes), les détergents et les métaux. Ils se propagent dans l'environnement par la voie de l'air et par les eaux de ruissellement agricoles, industrielles et municipales. Depuis la fin du xxe siècle, on étudie sérieusement l'impact de ces perturbateurs endocriniens sur la santé des espèces animales et de l'être humain. Bien que certaines de ces composantes soient difficiles à éviter, le fait de les reconnaître nous aidera à nous en écarter le plus possible.

L'exposition humaine à certaines substances dangereuses comporte des risques pour la santé de la glande thyroïde ; par exemple, les thiocyanates (fumée de cigarette), les perchlorates chimiques (utilisés dans des produits militaires et industriels qui peuvent contaminer l'eau potable) et les pertechnétates (traceurs radioactifs comme le technétium 99[m] utilisé pour l'exploration de la glande thyroïde) inhibent le captage de l'iode présent dans la circulation sanguine. Cela cause une diminution des hormones T3 et T4 ainsi qu'une augmentation de la TSH.

L'exposition au plomb, au sulfure de carbone (un solvant très toxique utilisé dans l'industrie du caoutchouc, des textiles et la fabrication de colorants, de pesticides et de produits pharmaceutiques) et au diphényle polybromé (ou PBB, des ignifuges qui recouvrent souvent les appareils électroménagers, les ordinateurs, les housses de plastique pour matelas) peut en outre réduire le fonctionnement de la glande thyroïde. On a d'ailleurs constaté que les travailleurs du plomb souffrent d'une hypothyroïdie secondaire à un trouble hypothalamique. Certains documents suggèrent que les composés organochlorés (comme le DTT), les composés organophosphorés et les carbamates (les insecticides, les herbicides), les fongicides, les colorants alimentaires, le mercure et les polychlorobiphényls (ou PCB, des dérivés chimiques chlorés) sont aussi néfastes à la thyroïde[31].

La dangerosité des produits ignifuges à base de polybromo-diphényléther (PBDE) pour la santé inquiète de plus en plus la population. On utilise ces substances chimiques pour réduire les risques d'inflammabilité de diverses marchandises. Des PBDE ont été décelés dans l'environnement ainsi que dans le lait maternel, le sang et les tissus adipeux tant chez les Nord-Américains que chez les Européens. Selon Santé Canada, des études sur les souris et les rats exposés à de grandes concentrations de PBDE ont démontré «des effets sur le développement comportemental, le développement du système nerveux, ainsi que sur le foie et la thyroïde[32]». Bien que les êtres humains ne soient pas soumis à ce niveau d'exposition, il reste que les ignifuges à base de brome peuvent se libérer de façon continue sur une longue période de temps. La contamination se ferait donc par l'air ambiant, la poussière et les aliments. Des tests toxicologiques confirment que les chats souffrant d'hyperthyroïdie ont des hauts taux de PBDE, soit jusqu'à trois fois plus élevés que chez les chats en santé.

Les métaux lourds sont une source d'intoxication importante pour l'être humain. Le mercure, le plomb, le cadmium et l'arsenic s'accumulent progressivement dans l'organisme. Par le biais de l'air ou de la chaîne alimentaire, ils peuvent se fixer sur les tissus mous (tels le foie, les reins, le cerveau et l'hypophyse) et interférer dans la conversion de la T4 en T3. Pire encore, ces métaux toxiques font concurrence aux oligoéléments essentiels à la bonne santé de la glande thyroïde. Par exemple, le cadmium rivalise avec le zinc, le plomb avec le calcium, le mercure avec le sélénium. Cette rivalité malsaine peut mener à une perte de minéraux indispensables et à une perturbation de l'équilibre enzymatique.

D'après un grand nombre de recherches, le mercure et le cadmium semblent les métaux responsables des effets les plus dévastateurs pour la glande thyroïde. Une des conséquences de la présence du cadmium dans le corps est qu'il épuise les réserves de sélénium pourtant essentiel à l'élimination du cadmium de l'organisme. Comme le sélénium est aussi indispensable à la conversion de la T4 en T3, une carence de cet oligoélément antioxydant peut provoquer une baisse du taux de l'hormone T3 et l'hypothyroïdie. Une concentration élevée de cadmium dans l'organisme est plutôt liée à l'hyperthyroïdie. Une étude a évalué l'effet de certains métaux lourds sur la glande thyroïde d'enfants exposés à la fumée de 10 cigarettes ou moins par jour. On a noté une corrélation entre la présence de cadmium dans le sang et l'augmentation de la TSH, ainsi qu'une baisse du taux de la thyroxine libre[33]. La cigarette est la plus grande source de cadmium pour la population en général, mais on en trouve aussi dans la fumée et la poussière émises par certaines industries, les organes d'animaux, certains engrais, les légumes et les grains qui ont poussé dans les sols contaminés, les pneus et les émanations des incinérateurs de déchets.

En outre, le sélénium est impliqué dans la formation de l'anti-oxydant glutathion. Le glutathion est une composante déterminante du mécanisme de détoxication du foie. Toutefois, le mercure peut causer une diminution de la production du glutathion et du fonctionnement de la glutathion-peroxydase, une enzyme qui protège les membranes cellulaires contre le stress oxydatif. Des taux élevés de mercure dans l'organisme semblent provoquer l'hyperthyroïdie alors qu'à de plus faibles concentrations, il peut causer l'hypothyroïdie en interférant avec la production de thyroxine et la transformation de la T4 en T3. Le mercure intervient dans le métabolisme du cuivre et du zinc, deux oligoéléments essentiels à la fonction thyroïdienne. Les sources principales de mercure sont les amalgames dentaires, certains poissons contaminés, les cosmétiques, les thermomètres cassés et les piles électriques.

S'il y a un sujet controversé de nos jours, c'est bien la fluoration de l'eau potable. Bien qu'on trouve le fluorure dans un grand nombre de dentifrices, le débat s'enflamme dès qu'il s'agit de son ajout à l'eau de consommation des réseaux municipaux. Évoqué comme la panacée apte à éradiquer la carie dentaire, on trouve le fluorure dans les rince-bouches, les suppléments sous forme de gouttes (recommandés aux nourrissons) ou de comprimés, le gel topique appliqué chez le dentiste, ainsi que dans les boissons et les aliments préparés avec de l'eau fluorée. En novembre 2006, l'American Dental Association a avisé les parents de ne pas préparer le lait maternisé avec de l'eau fluorée, car les nourrissons risquaient de souffrir de fluorose dentaire (taches blanches sur les dents)[34]. En France, près de la moitié du sel vendu aux ménages français est iodé et fluoré, mais il est interdit de l'ajouter à l'eau potable. La décision de l'utiliser ou non est laissée au choix du consommateur.

Une multitude d'études ont été faites sur le sujet de la fluoration de l'eau, mais les avis demeurent partagés. Bien qu'il semble y avoir une légère amélioration de la santé dentaire depuis l'utilisation du fluorure, celle-ci pourrait être attribuable aux nombreuses campagnes de promotion de la santé bucco-dentaire réalisées auprès des parents et des jeunes enfants dans les garderies et les écoles (meilleur brossage des dents, moins de sucreries).

En mars 2006, un rapport publié par la prestigieuse U. S. National Academy of Science a cité des recherches ayant démontré que le fluorure est un perturbateur endocrinien, c'est-à-dire qu'il peut stimuler ou inhiber la sécrétion hormonale et causer ainsi plusieurs déséquilibres dans l'organisme. Il indique que «l'exposition au fluorure chez les êtres humains est associée à des taux élevés de TSH, à une prévalence accrue des goitres, à des modifications des concentrations de la T4 et de la T3; des effets similaires sur les concentrations de T4 et de T3 ont été rapportés dans les études animales[35]». On peut aussi y lire que le déclin récent de l'apport en iode aux États-Unis pourrait contribuer à l'augmentation de la toxicité du fluorure chez certains individus. Ce rapport stipule que même de faibles concentrations de fluorure peuvent freiner les activités enzymatiques des différents systèmes, affecter la fonction rénale, contribuer à certaines pathologies osseuses et avoir un impact sur le développement du cerveau et le quotient intellectuel. L'assimilation du zinc, un élément nutritif important à la production d'hormones thyroïdiennes, peut également être diminuée par une prise excessive de fluorure.

On a recours à la chloration afin de réduire ou d'éliminer les microorganismes dans l'eau destinée à la consommation. Malheureusement, le chlore et le fluorure sont chimiquement liés à l'iode; ils bloquent les récepteurs d'iode empêchant ainsi la synthèse des hormones thyroïdiennes. La porte est alors ouverte à l'hypothyroïdie. Autre fait intéressant, le fluorure a longtemps été utilisé pour traiter l'hyperthyroïdie. Les experts s'interrogent à savoir si la chloration, et la fluoration en particulier, pourrait être à l'origine de la présente pandémie d'hypothyroïdie.

Face à ce bombardement empoisonné possiblement accompagné d'une déficience d'éléments nutritifs trop commune de nos jours, le corps humain a fort à faire afin d'assurer un fonctionnement plus ou moins adéquat de ses glandes et organes. Il n'est pas difficile de comprendre qu'une si petite glande que la thyroïde ait de la difficulté à travailler correctement. Et que dire du foie qui doit filtrer et neutraliser la plus grande partie de ces poisons?

Toutes les toxines qui pénètrent le corps humain menacent l'intégrité de son fonctionnement. La liste de substances toxiques mentionnées est loin d'être exhaustive; on doit y ajouter tous les additifs chimiques alimentaires possiblement néfastes à la santé en général, incluant les colorants, les agents de conservation, les exhausteurs de goût, les édulcorants de synthèse, les nitrites ainsi que les médicaments.

On peut aider le corps à se régénérer en procédant étape par étape. Certains changements au style de vie et le suivi d'un programme de désintoxication peuvent amorcer la démarche vers une meilleure santé. En libérant le foie d'une surcharge de travail, il sera plus disponible pour s'acquitter de ses autres fonctions, incluant sa contribution à la synthèse des hormones thyroïdiennes. De même, une circulation sanguine libre d'un excédent de déchets laissera circuler plus facilement les nutriments nécessaires à l'activité cellulaire. Le protocole à suivre afin de redonner de la vigueur à son corps congestionné devrait inclure les éléments suivants.

- Une cure de détoxication afin d'optimiser le fonctionnement physiologique des cellules, des tissus et des organes. Plusieurs plantes aux vertus dépuratives peuvent aider les émonctoires (foie, intestins, reins, poumons, peau) à éliminer les déchets hors du corps : pissenlit, artichaut, betterave, chardon-Marie, boldo, cascara sagrada, radis noir, bardane, trèfle rouge, achillée millefeuille, épine-vinette et plusieurs autres ;

- Une révision de l'alimentation de façon à réduire la consommation des drogues licites (sucre, caféine, alcool), des aliments transformés ainsi que des gras saturés et hydrogénés. On doit y intégrer plus de fruits et de légumes, biologiques si possible, des hydrates de carbone complexes et suffisamment de protéines. La synthèse et la sécrétion des hormones thyroïdiennes requièrent une quantité suffisante d'acides aminés, dégradés des protéines, dont la tyrosine ;

- Une réduction de la prise de médicaments en s'en tenant à ceux qui sont absolument essentiels à l'état de santé ;

- L'adoption de mesures nécessaires afin d'éliminer le contact avec les agents allergènes qui affaiblissent les défenses du corps (système immunitaire) ;

- L'ajout de vitamines, de minéraux, de probiotiques et d'acides gras essentiels à son alimentation selon les besoins nutritionnels de chacun;

- Une bonne hydratation en buvant huit verres d'eau chaque jour;

- L'ajout d'exercices à ses habitudes de vie; une marche rapide de 30 minutes quotidiennement aide à détendre tant le corps physique que le mental. Le tai-chi, le yoga et la danse apportent détente et bien-être. Certaines positions de yoga stimulent même le fonctionnement de la glande thyroïde (les positions de la chandelle, du chameau, du pont).

Le renforcement des glandes surrénales

Le mode de vie rapide et exigeant d'aujourd'hui implique trop souvent un surplus de stress. Comme nous l'avons déjà vu, le fonctionnement des glandes surrénales de beaucoup de gens s'en trouve compromis. On sait maintenant qu'une insuffisance surrénalienne peut aggraver la symptomatologie thyroïdienne. Il existe une si grande similitude entre les symptômes liés à l'hypothyroïdie et ceux de la fatigue surrénalienne qu'il devient difficile d'y voir clair (voir à ce sujet le chapitre 1).

Une étude récente faite chez trois enfants souffrant d'insuffisance surrénalienne a démontré la complexité du lien thyroïde-surrénales. Leur bilan sanguin a indiqué aussi des anomalies thyroïdiennes dont des taux de TSH légèrement élevés et une baisse de la concentration de la thyroxine libre. À la suite d'un traitement de remplacement hormonal pour les glandes surrénales, les fonctions thyroïdiennes se sont normalisées d'elles-mêmes[36]. On voit ici l'importance d'un diagnostic précis.

Alors, comment savoir laquelle des glandes il faut traiter en premier? Si vous êtes déjà sous traitement pour la glande thyroïde et que tout va très bien, il est inutile de vous inquiéter. Si, par contre, vous continuez d'être très fatigué et que les analyses sanguines indiquent que la thyroïde fonctionne normalement, il pourrait être pertinent de faire vérifier le fonctionnement des glandes surrénaliennes. Il existe certains tests médicaux; toutefois, la large fourchette des résultats peut passer à côté d'une hypoadrénie légère ou modérée. C'est dans un cas comme celui-là où la kinésiologie appliquée peut s'avérer utile.

Les glandes surrénaliennes épuisées ne parviennent plus à produire suffisamment de cortisol et d'adrénaline; le manque d'énergie est généralement le premier symptôme dont les gens se plaignent. Cette fatigue vient s'ajouter à celle de l'hypothyroïdie. D'ailleurs, c'est probablement cette sensation d'épuisement qui pousse les gens à consommer des grandes quantités de caféine; elle redonne un semblant d'énergie, car elle stimule momentanément l'activité surrénalienne. Les glandes surrénales produisent aussi une hormone appelée la DHEA (déhydroépiandrostérone), le précurseur (hormone qui conduit à la production d'une autre hormone) de l'œstrogène et de la testostérone. D'après l'endocrinologue Ken Blanchard, un ralentissement de sa production peut mener à des symptômes caractéristiques de l'hypothyroïdie tels que l'impotence, des problèmes de fertilité et des troubles prémenstruels ou menstruels.

Une partie intégrante du traitement des glandes surrénales repose sur une bonne gestion du stress et de l'anxiété. Il est important de noter que le stress positif peut aussi être exténuant pour ces «glandes du stress»; l'excitation, l'énervement et les heures de travail supplémentaires nécessaires pour mener à terme un grand projet qui vous tient à cœur peuvent également causer la fatigue surrénalienne. Il sera important de trouver un juste milieu. Il faudra donc s'assurer de bien s'alimenter dans un environnement tranquille, de partager des moments de détente avec la famille et les amis, de faire de l'exercice modéré plusieurs fois par semaine (sans s'épuiser), de prendre le temps de relaxer (écouter de la musique, lire, méditer, prier) et de dormir suffisamment. Il s'agit surtout de trouver une méthode antistress qui convient à votre personnalité et à votre rythme de vie.

Les traitements d'acupuncture, de chiropractie et d'ostéopathie peuvent aider le corps à recouvrer son équilibre hormonal. Certaines formes d'exercices comme le tai-chi et le yoga permettent de mieux gérer le stress et de retrouver le calme. Quelques postures de yoga favorisent l'afflux sanguin vers la thyroïde hypoactive, ce qui aide à tonifier et à oxygéner la glande, notamment les positions inversées dont la chandelle, le chameau, le pont, l'arc, le cobra, le poisson et le bambou. Ces mêmes postures ne sont pas recommandées en cas d'hyperthyroïdie et durant les menstruations.

Plusieurs suppléments nutritionnels contribuent au rétablissement et au maintien des fonctions surrénaliennes : la vitamine C (dont la formule contient des bioflavonoïdes), la vitamine E, la niacine (B_3), l'acide pantothénique (B_5), la pyridoxine (B_6), le complexe vitaminique B, le magnésium, le calcium, le zinc, le manganèse, le ginseng sibérien, le ginseng coréen, la réglisse, le gingembre, l'ashwagandha, le schisandra et le ginkgo biloba.

Les extraits de glandes surrénales de bovins tiennent du même principe que l'extrait thyroïdien desséché mentionné précédemment. Les extraits surrénaliens peuvent constituer une partie importante du traitement de l'insuffisance surrénalien. Contrairement aux corticostéroïdes de synthèse (cortisone, prednisone, prednisolone) qui peuvent causer des effets indésirables, les extraits surrénaliens nourrissent et restaurent les glandes surrénales sans effets néfastes.

Quand le cerveau perçoit la présence des corticostéroïdes (substituts de cortisol vendus sur ordonnance) dans l'organisme, il freine ou bloque la sécrétion de l'hormone adrénocorticotrope, ou ACTH, qui a pour fonction de stimuler les glandes surrénales à produire plus d'hormones. Les glandes surrénales sont donc mises au repos pendant toute la durée du traitement; il arrive même qu'elles s'atrophient, ce qui entraîne des problèmes majeurs à l'arrêt du médicament. Il est donc important de diminuer graduellement l'utilisation des corticostéroïdes afin que l'organisme puisse reprendre ses activités hormonales. À la suite d'un traitement de seulement quelques jours, les glandes surrénales peuvent mettre plusieurs jours, sinon des semaines, à reprendre leur fonctionnement normal. Si la cure médicamenteuse a été suivie à plus long terme, la relance peut s'étirer sur plusieurs mois, voire jusqu'à deux ans.

Quant aux extraits surrénaliens, ils aident les glandes surrénales à se rétablir et, peu à peu, elles reprennent de la vigueur et sont à nouveau capables de remplir leurs nombreuses fonctions. Certains cas d'hypoadrénie, proche de la maladie d'Addison, nécessiteront la prise de corticostéroïdes sous la supervision d'un médecin. L'extrait de cellules surrénales et certains suppléments alimentaires mentionnés précédemment pourraient être pris avec les stéroïdes pour augmenter l'efficacité du traitement.

L'équilibre œstrogène/progestérone

L'œstrogène sous toutes ses formes peut causer une fluctuation des taux d'hormones thyroïdiennes. Des niveaux élevés d'œstrogène tendent à supprimer l'activité thyroïdienne. Certains facteurs œstrogéniques contribuent à augmenter la quantité de

protéines de transport (TBG) dans le sang; l'hormone thyroïdienne devient partiellement inactive lorsqu'elle se lie à cette protéine. Or, ce sont les hormones thyroïdiennes libres, c'est-à-dire
non liées aux protéines, qui agissent au niveau des cellules et qui
influencent les fonctions métaboliques de l'organisme. Comme
il y a moins d'hormones thyroïdiennes libres disponibles, on est
alors confronté à des symptômes d'hypothyroïdie. Ainsi, la pilule
anovulante, la grossesse et les œstrogènes conjugués comme la
Prémarine[MD] peuvent augmenter les dosages d'hormones subs-
titutives nécessaires au bon fonctionnement de la glande thyroïde. Le médecin doit connaître tous les médicaments que l'on
consomme afin de bien doser l'hormone thyroïdienne de remplacement.

On constate un lien évident entre l'hypothyroïdie et le déséquilibre hormonal qui survient à la préménopause et à la ménopause. C'est d'ailleurs entre 35 et 60 ans qu'un grand nombre de
femmes semblent développer un trouble thyroïdien. Il existe une
fausse conception du mitan de la vie qui nous a longtemps laissé
croire qu'il y avait alors une chute considérable des taux d'œstrogène. En fait, dès l'âge de 35 ans, ce sont les taux de progestérone qui diminuent radicalement jusqu'à la ménopause, alors
que les niveaux d'œstrogène chez la plupart des femmes, bien
qu'insuffisants pour soutenir une grossesse, suffisent à assurer
leurs autres fonctions dans l'organisme.

En plus des nombreux symptômes déplaisants de la période
périménopausique, la dominance en œstrogène peut exacerber
l'hypothyroïdie. Certains spécialistes émettent la théorie que
l'œstrogène pourrait interférer avec la conversion de la T4 en T3
et que ce fait, ajouté à la popularité de la pilule contraceptive et
de l'œstrogénothérapie de remplacement (Prémarine[MD] et autres),
pourrait contribuer à la quasi-épidémie d'hypothyroïdie et d'obésité que l'on observe présentement.

On parle de dominance en œstrogène lorsqu'il y a un excès d'œstrogène par rapport à la progestérone ; la quantité de progestérone disponible n'est pas suffisante pour neutraliser les effets de l'œstrogène. Les manifestations de ce syndrome peuvent apparaître à tout âge et inclure la sensibilité des seins, la dysplasie cervicale, la diminution de la libido, la fatigue, l'anxiété, l'irritabilité, la dépression, le syndrome prémenstruel, les menstruations précoces, l'augmentation de la graisse corporelle, surtout à l'abdomen, aux hanches et aux cuisses, l'état fibrokystique des seins, les fibromes utérins, les maux de tête, l'infertilité, les fausses couches, la perte de mémoire, la rétention de liquide et la lenteur métabolique.

Dans son livre *What Your Doctor May Not Tell You About Menopause*, le docteur John R. Lee explique que la plupart des femmes au début de la ménopause ont un excédent d'œstrogène. Au cours des années, il a découvert une corrélation entre l'œstrogène, la progestérone et les hormones thyroïdiennes. Il s'est rendu compte que l'hypothyroïdie était assez fréquente chez ses patientes souffrant d'une dominance en œstrogène. En examinant leur bilan thyroïdien, il a réalisé que plusieurs d'entre elles avaient des taux de T4 et de T3 normaux et une légère augmentation de la TSH. Elles avaient été diagnostiquées principalement pour des symptômes liés à l'hypothyroïdie tels que la fatigue, la frilosité et la perte de cheveux.

Bien que leur état de fatigue ait été légèrement amélioré, les symptômes de dominance en œstrogène n'avaient pas été corrigés pour autant. En ajoutant une crème à la progestérone pour traiter le surplus d'œstrogène, les doses d'hormones thyroïdiennes de remplacement ont pu être diminuées et parfois même éliminées. Il en a déduit que l'œstrogène, qui n'était pas contrebalancé par la progestérone, pouvait entraver l'action des hormones thyroïdiennes.

Plusieurs médecins sont maintenant convaincus que la crème à la progestérone bio-identique est une thérapeutique tout à fait indiquée pour traiter la dominance en œstrogène, et que son utilisation peut même améliorer la fonction thyroïdienne. Sous forme de crème transdermique, la progestérone bio-identique peut rendre les cellules plus réceptives aux hormones de la glande thyroïde. Il n'existe aucune contre-indication à employer la crème à la progestérone même si on prend des hormones thyroïdiennes de remplacement. Par contre, il faut être conscient que son utilisation peut entraîner un ajustement à la baisse du médicament prescrit pour l'hypothyroïdie.

Chapitre 7

Les problèmes connexes

Macha est diagnostiquée avec une maladie de Crohn alors qu'elle vient d'avoir 40 ans. Mère monoparentale de trois enfants dont deux d'âge préscolaire, elle occupe la fonction de cadre intermédiaire responsable d'une équipe de 34 employés. Elle doit subir une chirurgie intestinale afin de stabiliser son état de santé. Après une période de convalescence, elle retourne travailler malgré une fatigue persistante qu'elle attribue à sa maladie et aux médicaments qu'elle doit prendre à long terme. De plus, elle soupçonne quelques carences nutritionnelles malgré tous ses efforts pour bien se nourrir, car les aliments qu'elle peut digérer sans éveiller la douleur abdominale sont plutôt limités.

Graduellement, elle élimine toutes les activités superflues pour concentrer son peu d'énergie à ses enfants et à son travail. La fatigue persiste. Trois ans plus tard, elle souffre d'une grave hémorragie intestinale suivie de peu d'une hémorragie utérine dont la cause restera inconnue. Affaiblie, anémique, Macha se sent de plus en plus vulnérable. Elle souffre d'anxiété, d'angoisse, d'épuisement et pleure souvent. Les médecins déclarent qu'elle souffre d'un choc post-traumatique à la suite de son épisode hémorragique et lui prescrivent des antidépresseurs (capteur de sérotonine). Bien décidée à s'en sortir, Macha suit scrupuleusement les directives médicales, en plus d'une psychothérapie. Elle opère certains changements dans sa vie familiale pour se permettre un peu plus de temps de repos et retourne finalement au travail lorsque le médecin la déclare fin prête.

Pourtant, Macha est toujours aussi fatiguée, facilement angoissée, et bien qu'elle ne pleure plus depuis qu'elle prend les antidépresseurs, elle se rend compte que quelque chose cloche toujours. Pendant une discussion sur l'hypothyroïdie, elle réalise qu'elle souffre de plusieurs symptômes : frilosité, gain de poids non expliqué par son alimentation, nervosité, anxiété, sensation d'épuisement, problème de concentration, sensation de brûlure aux yeux, palpitations cardiaques, bouffées de chaleur surtout dans la semaine précédant ses périodes, changement de pigmentation de la peau du visage, peau et cuir chevelu extrêmement secs, irritation des plis cutanés.

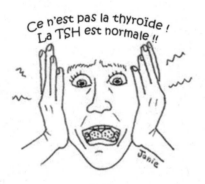

Avec la permission de Janie : www.stopthethyroidmadness.com.

Elle décide d'en discuter avec son médecin qui l'assure qu'il a bien vérifié sa glande thyroïde quelques mois plus tôt. Mais voilà, son taux de TSH était de 4,3 alors que le médecin ne traite pas avant au moins 5,0. Puisque Macha s'est renseignée, elle n'ignore pas que les nouvelles normes suggèrent un traitement dès un résultat de 3,0, surtout si le patient démontre des symptômes d'hypothyroïdie. Alors, que faire ? Il ne reste plus à Macha, aussi fatiguée soit-elle, qu'à attendre que son taux de TSH augmente encore ou à essayer de trouver un nouveau médecin compatissant prêt à l'écouter.

Cette histoire vraie, vécue sur une période de cinq ans, illustre bien le chemin que doivent parfois parcourir les gens avant d'obtenir le diagnostic d'une maladie thyroïdienne. Si on avait pris le temps de décortiquer l'histoire de Macha, on se serait rendu compte avant même le déclenchement de sa maladie de Crohn qu'elle avait une tendance héréditaire à la maladie auto-immune, sa mère étant décédée très jeune d'une grave maladie des reins. Elle avait également subi l'ablation de la glande thyroïde à la suite d'une parathyroïdectomie. Deux tantes maternelles souffrent aussi d'hypothyroïdie. Les recherches scientifiques confirment en effet une prédisposition génétique aux maladies auto-immunes. On constate également que les personnes atteintes d'une maladie auto-immune sont plus susceptibles de souffrir d'une autre affection du système immunitaire.

Une analyse plus poussée aurait aussi révélé une période de grande fatigue suivant sa dernière grossesse sept ans auparavant, qui avait été soulagée par la prise d'un supplément de vitamines, de minéraux et de varech (algue riche en iode). Comme on sait que la thyroïde est souvent en difficulté dans les mois suivant l'accouchement, on peut se demander s'il ne s'agissait pas là d'une hypothyroïdie post-partum transitoire. Les femmes ayant souffert d'une hypothyroïdie passagère à la suite d'une grossesse, surtout si le test des anticorps antithyroïdiens est positif, sont plus à risque de souffrir d'hypothyroïdie avérée dans quelques années.

À cette même période, un niveau de stress élevé faisait partie intégrante de la vie de Macha. À la suite de deux maternités rapprochées, elle avait accepté une offre d'emploi, changement qui impliquait une charge de travail plus lourde ainsi qu'un déménagement vers une grande ville avec ses trois enfants. Pour l'aider à tenir le coup côté énergétique, elle prenait aussi un supplément de réglisse reconnu pour favoriser les fonctions sur-rénaliennes. On connaît les dommages que peuvent occasionner les périodes stressantes de la vie, surtout si elles se prolongent dans le temps. Macha jouait donc avec un couteau à double tranchant. Quelques années plus tard, elle a été diagnostiquée avec une maladie de Crohn, une affection inflammatoire auto-immune de l'intestin.

Macha a atteint l'âge de la préménopause, ce qui est vrai-semblablement responsable des symptômes prémenstruels plus prononcés qu'elle doit maintenant endurer pendant la semaine précédant ses menstruations. Les bouffées de chaleur, les palpi-tations et les saignements plus abondants sont typiques de cette étape de vie. Il est bien établi que le diagnostic d'une anomalie thyroïdienne survient souvent entre 35 et 60 ans, période de temps où le corps de la femme subit d'importantes fluctuations hormonales. On sait aussi que l'hypothyroïdie peut alourdir les symptômes prémenstruels.

Macha était restée quelque peu surprise par le diagnostic de dépression. Elle pensait plutôt que son angoisse et l'envie de pleu-rer découlaient de sa grande fatigue. À première vue, la ligne de démarcation entre les symptômes d'une dépression, d'une insuf-fisance surrénalienne et de la fatigue causée par l'hypothyroïdie est très mince. Seuls des examens physiques et psychologiques plus poussés arrivent à démêler un tel imbroglio. Le problème est que chaque médecin détient sa spécialité : le psychiatre ou le psychologue évalue l'aspect psychique, le gastroentérologue exa-mine les systèmes digestif et intestinal, le dermatologue s'inté-resse aux problèmes de la peau et le médecin généraliste se contente souvent d'assurer les suivis suggérés par les spécia-listes. Il est facile de comprendre qu'il faudra à Macha un résul-tat sanguin concluant pour venir changer l'ordre des choses. En attendant, il sera difficile pour elle d'obtenir un rendez-vous avec un endocrinologue, le spécialiste le plus apte à comprendre ce qu'elle vit. Comme l'hypothyroïdie peut survenir lentement, même sur une période de quelques années, Macha devra faire preuve de patience et d'ingéniosité si elle veut savoir à quoi s'en tenir dans un délai acceptable.

La connexion auto-immune

Bien que leur pathogénie soit encore mal connue, les spécialistes en médecine répertorient plus de 80 maladies auto-immunes. Ce sont des maladies chroniques, souvent sérieuses, qui peuvent affecter tous les systèmes du corps humain. Le système immunitaire semble se détraquer et s'attaque alors à ses propres structures au lieu de les protéger. Ainsi, il s'en prend à ses cellules, tissus et organes au lieu d'assurer leur défense contre les vrais intrus (bactéries, virus, parasites). Cette réponse agressive et désordonnée est susceptible d'endommager les tissus et les organes, ce qui pourrait éventuellement mener à un diagnostic d'une maladie auto-immune. Ces anomalies, qui semblent toucher les femmes plus que les hommes, peuvent affecter tout l'organisme, tant les systèmes nerveux, gastrointestinal et endocrinien que la peau, les yeux, les tissus conjonctifs et le sang.

Les recherches scientifiques des dernières décennies ont découvert des causes génétiques, environnementales et infectieuses à certains dysfonctionnements immunitaires, ce qui, espérons-le, aidera à élaborer des meilleurs traitements et, peut-être même, à les prévenir. Dans son livre *What Your Doctor May Not Tell You About Hypothyroidism*, l'endocrinologue Ken Blanchard mentionne qu'environ 25 % des personnes souffrant de maladies thyroïdiennes auto-immunes (maladie de Basedow, thyroïdite de Hashimoto) sont à risque de développer une autre affection auto-immune.

La maladie cœliaque

La maladie cœliaque, souvent appelée intolérance au gluten, est une maladie auto-immune où la paroi de l'intestin grêle est endommagée par une portion du gluten qui se nomme la gliadine. On la trouve dans le blé, l'avoine, le seigle, l'orge, l'épeautre et le kamut (voir mon livre *L'intolérance au gluten*). La maladie cœliaque entraîne une atrophie villositaire de la muqueuse du petit intestin et une malabsorption intestinale qui peuvent mener éventuellement vers une carence en éléments nutritifs. Les symptômes incluent des troubles intestinaux, des ballonnements abdominaux, des flatulences, de la diarrhée, de la constipation, de l'anémie, une perte de masse musculaire, de la fatigue chronique, des troubles émotionnels ainsi qu'un retard du développement physique chez les enfants.

Plusieurs chercheurs ont étudié la corrélation entre la maladie cœliaque et la maladie thyroïdienne auto-immune. Une étude récente a dévoilé que de 2 % à 5 % des personnes souffrant de diabète de type 1 (insulinodépendant) et de maladies thyroïdiennes sont également atteintes de la maladie cœliaque. Une diète sans gluten pourrait même favoriser le traitement de la maladie endocrinienne sous-jacente[37]. Plusieurs recherches suggèrent qu'une personne atteinte de la maladie cœliaque qui continue d'être exposée au gluten est plus à risque de développer d'autres maladies auto-immunes.

Toutes les personnes diagnostiquées avec une anomalie thyroïdienne auto-immune devraient se soumettre au dépistage pour la maladie cœliaque. Il s'agit d'un simple test sanguin où l'on recherche des anticorps (anti-gliadine, anti-transglutaminase et anti-endomysium) ; si le test s'avère positif, une biopsie de l'intestin grêle viendra confirmer le diagnostic. L'exclusion à vie du gluten du régime est le seul traitement connu à ce jour pour traiter la maladie cœliaque.

Les maladies rhumatismales

Les maladies rhumatismales incluent l'ensemble des maladies le plus souvent douloureuses qui touchent au système locomoteur (os, muscles, tendons, articulations). Plusieurs de celles-ci sont auto-immunes, dont le lupus érythémateux systémique et la polyarthrite rhumatoïde. Au cours d'un travail de recherche, on a voulu vérifier l'importance des maladies rhumatismales chez les gens souffrant de maladies thyroïdiennes auto-immunes. Soixante-cinq patients hypothyroïdiens, dont 56 femmes et 9 hommes, furent questionnés et examinés pour détecter la présence de maladies rhumatismales. Quarante (62 %) des 65 patients souffraient d'une forme ou d'une autre d'une maladie rhumatismale. Les plus communes étaient la fibromyalgie, la stomatite aphteuse récurrente (lésions buccales), l'ostéoarthrite, la kératoconjonctivite sicca (maladie de l'œil sec) et la xérostomie (sécheresse de la bouche) ainsi que le syndrome du canal carpien qui ont été détectés respectivement chez 20 (31 %), 13 (20 %), 10 (15 %), 9 (14 %), 8 (12 %) des patients. De même, 10 patients souffraient de maladies auto-immunes, dont le vitiligo (2), l'hépatite auto-immune (2), le lichen plan oral (1), la colite ulcéreuse (1), l'arthrite rhumatoïde (2), la connectivite mixte (1), le psoriasis et l'arthrite psoriasique (1). Deux patients étaient positifs à la suite de la recherche des facteurs rhumatoïdes, mais un seul en souffrait. On a conclu que les maladies rhumatismales semblent plus fréquentes chez les patients souffrant de maladies thyroïdiennes auto-immunes. On recommande une évaluation régulière des maladies rhumatismales chez les patients thyroïdiens[38].

La fibromyalgie

La fibromyalgie a longtemps été considérée comme une maladie psychiatrique, pour ne pas dire imaginaire, probablement parce qu'elle semblait atteindre surtout les femmes. C'est en 1992 qu'elle a finalement été reconnue par l'Organisation mondiale de la santé comme une maladie rhumatismale. Bien que la cause réelle de la fibromyalgie soit encore inconnue, on lui suspecte une composante auto-immune. Encore une fois, les femmes y semblent beaucoup plus susceptibles que les hommes. Ce syndrome est caractérisé par de la douleur généralisée qui affecte les muscles, les tendons et les ligaments, de la raideur surtout au réveil, de la fatigue, des troubles du sommeil, des céphalées, de l'anxiété, de la dépression, de l'intolérance au froid, du syndrome de l'intestin irritable, des troubles de la mémoire et de la concentration. Le diagnostic est souvent difficile vu que ses symptômes se manifestent aussi dans plusieurs autres maladies; on procède donc par élimination. On doit d'ailleurs remarquer la ressemblance des symptômes avec ceux de l'hypothyroïdie.

D'après le docteur John C. Lowe, directeur de la recherche de la Fibromyalgia Research Foundation et auteur du livre *The Metabolic Treatment of Fibromyalgia*, certains tissus du corps peuvent être résistants aux hormones thyroïdiennes, c'est-à-dire qu'ils auraient besoin d'une plus grande quantité d'hormones pour atteindre un niveau de fonctionnement optimal. Ce n'est pas que le corps n'en fabrique pas assez, mais plutôt qu'il soit incapable de les utiliser comme il se doit. Les tests sanguins pourraient alors indiquer des résultats thyroïdiens normaux malgré des symptômes d'hypothyroïdie. Par exemple, une résistance aux hormones thyroïdiennes au niveau des muscles ouvrirait la voie à la fibromyalgie, au niveau du cerveau à la dépression et au niveau du cœur au trouble cardiaque.

Plusieurs autres chercheurs ont noté la ressemblance des critères établissant la fibromyalgie, l'hypothyroïdie primaire (insuffisance de la glande elle-même) et la résistance cellulaire périphérique aux hormones thyroïdiennes. Divers groupes de recherche ont vérifié l'implication de la maladie thyroïdienne chez les fibromyalgiques. Ils ont rapporté une plus grande prévalence de la maladie thyroïdienne que chez la population en général. En fait, on a évalué que 90 % de fibromyalgiques souffrent soit d'une forme d'hypothyroïdie, soit d'une résistance cellulaire aux hormones thyroïdiennes. Un nombre impressionnant des patients ont été soulagés des symptômes de la fibromyalgie en utilisant des hormones thyroïdiennes de substitution. On doit noter que certains réagissaient mieux à la combinaison des hormones T4 et T3 ou de l'hormone T3 seulement, et que ceux qui adhéraient à des thérapies adjuvantes telles qu'une bonne alimentation, la prise de certains suppléments alimentaires et l'exercice avaient tendance à mieux se rétablir[39]. Bien que les hormones thyroïdiennes ne soient pas la panacée miraculeuse pour tous les fibromyalgiques, c'est tout de même une piste intéressante qui vaut la peine d'être explorée.

Le syndrome de Sjögren

Le syndrome de Sjögren est une maladie auto-immune qui cause un dessèchement buccal (difficulté à mâcher et à avaler, diminution du goût, toux sèche) et oculaire (sensation de brûlure et de sable dans les yeux, rougeur), de la fatigue, des maux de tête et de la douleur articulaire et musculaire. Les cas plus graves peuvent atteindre certains organes (tels les reins, les poumons, le foie, le pancréas, le système gastro-intestinal et le cerveau), occasionner des neuropathies affectant les bras et les jambes, et toucher la glande thyroïde.

Cette maladie inflammatoire chronique frappe un grand nombre de gens, dont 90 % sont des femmes. On le dit primaire s'il n'est pas associé à une autre maladie, et secondaire lorsque le syndrome survient chez des gens souffrant d'une autre maladie rhumatismale comme le lupus, la polyarthrite rhumatoïde ou la sclérodermie.

On a souvent constaté la présence du syndrome de Sjögren chez des personnes souffrant d'une maladie thyroïdienne auto-immune. D'après une étude récente qui a révisé des données de 1960 à 2007, cette coexistence suggérerait une prédisposition environnementale ou des facteurs génétiques communs avec un mécanisme pathogénique similaire. Le syndrome de Sjögren primaire était 10 fois plus fréquent chez les patients avec une maladie thyroïdienne auto-immune, et la thyroïdite auto-immune était 10 fois plus fréquente chez les gens atteints du syndrome de Sjögren primaire. Les victimes ont tendance à développer une autre maladie auto-immune. Un suivi sur une période de 10 ans et demi a permis de déterminer que celle qui se déclenchait le plus souvent en association avec le syndrome de Sjögren était l'hypothyroïdie[40].

Le diabète

Une prévalence plus importante de la thyroïdite chez les diabétiques que chez la population en général a été clairement établie par un grand nombre d'études (voir à ce sujet le chapitre 5). Selon l'endocrinologue Ken Blanchard, environ 10 % des gens atteints du diabète de type 1 (insulinodépendant) développeront une thyroïdite chronique durant leur vie. L'hypothyroïdie semble d'ailleurs ralentir la réponse pancréatique. Les dysfonctions thyroïdiennes s'en prennent aussi aux gens souffrant du diabète de type 2 (non insulinodépendant), plus fréquent chez les adultes de plus de 40 ans. Les chercheurs s'entendent à dire que toutes les personnes atteintes de diabète et leur famille proche (parents, frères, sœurs) devraient subir un examen de dépistage régulier pour les maladies thyroïdiennes.

Le vitiligo

Les dysfonctionnements de la glande thyroïde ont des répercussions jusque sur la peau. En effet, les hormones thyroïdiennes sont essentielles au maintien de la santé de la peau, de la croissance des cheveux, des poils et des ongles. Le vitiligo, l'alopécie (perte de cheveux ou des poils), l'eczéma, le psoriasis, l'urticaire (boursouflures de la peau) et la maladie de Verneuil (abcès aux grands plis du corps) sont fréquents chez les hypothyroïdiens. Plusieurs de ces conditions peuvent être grandement améliorées par un traitement adéquat de la glande thyroïde.

Le vitiligo est une maladie auto-immune dont environ un tiers des cas semblent liés à une dysfonction thyroïdienne. Il s'agit d'une dépigmentation de la peau; on y voit apparaître des taches décolorées (blanc mat), de formes variables au contour bien délimité et parfois entourées de brun. Le vitiligo peut affecter toutes les parties du corps, mais il est plus souvent observé sur le visage, les mains, les pieds, les articulations et les parties génitales. Cette perte de pigmentation est causée par la destruction des mélanocytes, les cellules qui produisent la mélanine (pigment brun foncé qui donne la couleur à la peau). Considérant le lien auto-immun vitiligo-thyroïde, il serait recommandable d'effectuer un contrôle régulier de la fonction thyroïdienne chez toutes les personnes atteintes de cette maladie.

L'anémie pernicieuse

Plusieurs formes d'anémie sont associées au dysfonctionnement de la glande thyroïde. Effectivement, les hormones thyroïdiennes jouent un rôle important dans l'érythropoïèse, le mécanisme de production des érythrocytes (globules rouges) dans la moelle osseuse. Selon le docteur John Lowe, de 30 % à 40 % des hypothyroïdiens souffrent d'anémie, une affection caractérisée par une diminution du nombre de globules rouges en circulation et de leur teneur en hémoglobine. Il s'ensuivra un apport insuffisant d'oxygène aux cellules. Ses principaux symptômes incluent la fatigue, la faiblesse, la pâleur du teint, la somnolence, les maux de tête, l'essoufflement et l'accélération du pouls à l'effort modéré. Il arrive souvent que l'anémie se corrige d'elle-même une fois que l'hypothyroïdie est sous contrôle, sinon on la traite par l'ajout de fer. Comme celui-ci peut interférer avec l'absorption de l'hormone thyroïdienne de remplacement (Synthroid[MD] ou autre), il est important de laisser au moins quatre heures entre les deux médicaments.

L'anémie pernicieuse est une forme plus grave d'anémie qui tend à apparaître plus fréquemment chez les individus atteints de la maladie de Basedow (Graves) ou de la thyroïdite d'Hashimoto. Elle est causée par une carence en vitamine B_{12} (cobalamine) qui est nécessaire à la fabrication des globules rouges dans la moelle osseuse. Bien qu'on lui connaisse plusieurs facteurs causals, un trouble immunitaire peut aussi être impliqué. Normalement, les cellules qui tapissent la paroi de l'estomac produisent le facteur intrinsèque qui permet au corps d'absorber la vitamine B_{12} de la nourriture. Dans le cas de l'anémie pernicieuse auto-immune, le corps synthétise des anticorps qui attaquent et détruisent ses propres cellules stomacales. Sans ce facteur intrinsèque, la vitamine B_{12} n'est pas absorbée au niveau de l'intestin grêle et la carence s'installe.

En plus des symptômes d'anémie déjà mentionnés, l'anémie pernicieuse se manifeste par une sensation douloureuse à la langue qui est parfois rouge, des saignements des gencives, des fourmillements et engourdissements dans les mains et les pieds, une mauvaise coordination et même des changements de l'état mental (perte de mémoire, confusion, dépression, démence). La déficience en vitamine B_{12} peut être comblée par un supplément oral de celle-ci, mais plus souvent par des injections une fois par mois ou tous les deux mois, parfois à vie.

La dépression

Le cerveau est très sensible aux hormones sécrétées par la glande thyroïde. Plusieurs chercheurs sont convaincus que même une légère diminution du taux d'hormones thyroïdiennes dans le cerveau serait susceptible de causer des symptômes de dépression.

Ainsi, l'hypothyroïdie pourrait être un facteur clé dans la dépression, surtout si celle-ci ne répond pas au traitement antidépresseur. Encore une fois, plusieurs des symptômes sont tellement similaires qu'ils s'imbriquent les uns dans les autres. D'ailleurs, il semble que les manifestations d'hypothyroïdie soient souvent considérées comme une dépression en premier, alors que l'hypothyroïdie elle-même est diagnostiquée plus tard, souvent parce que le traitement antidépresseur ne semble pas produire les effets escomptés. Une comparaison des symptômes psychiques impliqués dans les deux situations dénote clairement la ressemblance : sensation de dépression, apathie, instabilité émotionnelle, irritabilité, anxiété, manque d'ambition, trouble de concentration, perte de mémoire, fatigue, trouble du sommeil, perte d'intérêt, démence.

Dans l'excellent livre *The Thyroid Solution*, l'endocrinologue Rhida Arem affirme que même un infime changement dans la quantité ou la façon dont les hormones thyroïdiennes sont distribuées dans le cerveau peut avoir des effets radicaux sur l'humeur, les émotions, l'attention et le processus de pensée. Selon lui, la concentration de T3 dans le cerveau doit être constante afin d'assurer son fonctionnement optimal. Une diminution de T3 sur le plan cérébral pourrait causer des désordres tels que la dépression et le syndrome de déficit d'attention, malgré un fonctionnement normal de la glande thyroïde.

Rhida Arem explique la relation entre la dépression et la glande thyroïde comme suit : « Les taux de sérotonine dans le cerveau tendent à diminuer même en présence d'une dépression légère. Le cerveau avise alors l'hypophyse de la diminution des taux de sérotonine. Ce message incite l'hypophyse à produire plus de TSH afin que la glande thyroïde fabrique et relâche plus d'hormones thyroïdiennes. Cet ajustement de la glande thyroïde permet aux taux de sérotonine de revenir à la normale empêchant ainsi une détérioration plus grave de l'humeur. Les hormones thyroïdiennes présentes dans le cerveau sont capables d'accroître la production de sérotonine dans les cellules cérébrales. Si la glande thyroïde est défectueuse et incapable de produire les hormones thyroïdiennes nécessaires, les taux de sérotonine s'abaisseront davantage et la dépression s'intensifiera. Ceci explique comment un dysfonctionnement de la glande thyroïde pourrait priver une personne d'un mécanisme de défense de première importance contre la dépression majeure[41]. »

La sérotonine est un neurotransmetteur qui permet la transmission chimique d'un message (influx nerveux) d'un neurone à l'autre. Quand le niveau de sérotonine au cerveau diminue, il est fréquent d'éprouver divers symptômes tels que les sautes d'humeur, la dépression, l'insomnie, la rage de nourriture et le syndrome de l'intestin irritable. Il existe un lien étroit entre la fonction thyroïdienne et la sérotonine ; plus l'activité de la glande thyroïde est efficace, plus la teneur cérébrale en sérotonine est élevée. C'est sûrement pour cette raison que les antidépresseurs, que l'on nomme « inhibiteurs de la recapture de la sérotonine », aident partiellement les personnes souffrant de symptômes de dépression même s'ils sont causés par l'hypothyroïdie. Ils augmentent les taux de sérotonine en inhibant sa recapture par les neurones. Et vice versa, un traitement approprié de la glande thyroïde fera souvent disparaître les troubles mentaux sans autre traitement.

Une plus grande concentration d'hormones thyroïdiennes au cerveau permettra d'améliorer la production de sérotonine dans les cellules cérébrales. Afin de favoriser la production de la sérotonine, Ridha Arem recommande d'ajouter au traitement de l'exercice quatre à cinq fois par semaine et une alimentation saine riche en tryptophanes, en fibres et en glucides complexes (légumes verts, grains entiers). La sérotonine est synthétisée à partir du tryptophane, un acide aminé essentiel qui provient de l'alimentation. On trouve du tryptophane dans la plupart des aliments protéinés dont la dinde, les fruits de mer, certains poissons (thon, saumon, flétan), la viande rouge, les grains entiers, le soya, le quinoa, les graines de tournesol et de citrouille, le sésame, les amandes, les noix, ainsi que dans certains légumes et la banane.

Une méta-analyse relative à l'augmentation des désordres dépressifs malgré des traitements améliorés a évalué six études cliniques faites sur une période de 30 ans. Fait intéressant, elle a révélé que 52 % des patients souffrant de dépression résistante au traitement d'antidépresseurs tricycliques présentaient aussi une hypothyroïdie subclinique, alors qu'on n'en repérait que 8 % à 17 % dans les dépressions simples et 5 % dans la population en général[42].

Une autre étude faite en 2007 a évalué la prévalence des désordres et des symptômes psychiatriques chez des patients avec un diagnostic d'hypothyroïdie subclinique. Comparativement au groupe euthyroïdien, on a décelé 2,3 fois plus de symptômes dépressifs chez le groupe souffrant d'hypothyroïdie subclinique (45,6 % contre 20,9 %). Les symptômes d'anxiété étaient également plus fréquents chez ces derniers[43].

Il y a peu de doute que l'hypothyroïdie soit associée avec une plus grande susceptibilité à la dépression et aux symptômes qui l'entourent. Toutes les personnes manifestant des troubles tels que l'anxiété, une sensation de tristesse sans fondement, de la peur irraisonnée, une perte de motivation, une grande lassitude ou un état dépressif devraient demander à leur médecin d'évaluer leur fonction thyroïdienne avant même de prendre des antidépresseurs. Toutes les dépressions, même si elles ont un lien avec la glande thyroïde, ne disparaissent pas comme par enchantement à la suite d'un traitement thyroïdien de substitution. Ce serait trop facile. Il est parfois difficile de savoir si la dépression ou l'anomalie thyroïdienne est apparue en premier. Une fois la thyroïde bien contrôlée, il faut réévaluer les symptômes dépressifs. Certaines personnes auront besoin de continuer les antidépresseurs, mais il arrive que le dosage puisse être réduit.

Pour certains cas de dépression récalcitrants, un ajout d'une petite dose de triiodothyronine (T3) à leur traitement antidépresseur en cours parvient à faire lever le voile de la dépression. Au cours d'une recherche effectuée à la Harvard Medical School en 2005, des chercheurs ont examiné 20 patients souffrant de dépression majeure dont l'état n'avait pas été amélioré par huit semaines d'antidépresseurs inhibiteurs de la recapture de la sérotonine. Quatre semaines après l'ajout de 50 µg d'hormones de remplacement T3 au traitement, six patients avaient évolué vers une rémission clinique, alors que sept autres avaient vu leurs symptômes diminuer de moitié ou plus[44]. De plus en plus de psychiatres considèrent maintenant l'utilisation de la triiodothyronine dans le traitement de la dépression.

Le lithium est un médicament utilisé pour stabiliser l'humeur et traiter les troubles bipolaires. Malheureusement, il peut causer un état d'hypothyroïdie chez certaines personnes, notamment en bloquant la sécrétion de T4 et de T3. On préconise un dépistage de l'affection thyroïdienne avant de commencer le traitement au lithium, et annuellement par la suite. De par l'importance des symptômes liés aux maladies traitées au lithium, on ne recommande pas l'arrêt de celui-ci même si l'hypothyroïdie apparaît. On conseille plutôt un traitement de l'état thyroïdien et un suivi très vigilant.

La gestion du poids

La prise de poids engendrée par l'hypothyroïdie n'a rien d'un mythe. Bien que certains y échappent et que d'autres retrouveront leur poids initial quelques semaines ou mois après le début du traitement thyroïdien, plusieurs personnes peuvent écoper d'une prise pondérale beaucoup plus importante. Pourtant, de nombreux textes médicaux rapportent que même une forme sévère d'hypothyroïdie ne modifiera pas le poids de plus de 10 % du poids corporel, et qu'une obésité grave ne doit pas y être attribuée. Un sondage informel fait par Mary J. Shomon auprès de 900 personnes atteintes d'hypothyroïdie semble démontrer le contraire. D'après les résultats décrits dans son livre *Living Well With Hypothyroidism*, les sujets disaient avoir :

- de 4,5 à 9 kilos de surplus de poids pour 20 % d'entre eux ;
- de 9 à 13,5 kilos de surplus de poids pour 14 % d'entre eux ;
- de 13,5 à 22,5 kilos de surplus de poids pour 25 % d'entre eux ;
- de 22,5 à 34 kilos de surplus de poids pour 18 % d'entre eux.

Il est certain que toutes les surcharges pondérales ne peuvent pas être liées uniquement à l'hypothyroïdie, mais il reste que pour des milliers de personnes, la prise de poids aura correspondu à l'enclenchement de la fatigue et des autres symptômes d'une dysfonction thyroïdienne. On sait que les hormones thyroïdiennes sont impliquées dans toutes les fonctions vitales de l'organisme, y compris la régulation du poids. La glande thyroïde étant la grande régulatrice du métabolisme, son hypoactivité entraîne, par conséquent, une diminution du rythme métabolique. Les calories provenant des gras, des protéines et des hydrates de carbone ne seront plus brûlées aussi efficacement et seront alors stockées sous forme de graisse.

En plus, l'hypothyroïdie cause souvent une accumulation de liquide dans les tissus. On peut ajouter à cela un goût prononcé pour la sédentarité par manque d'énergie, la faiblesse musculaire, l'essoufflement et parfois la dépression, tous dus à l'hypothyroïdie, et les kilos supplémentaires s'expliquent d'eux-mêmes.

Une étude destinée à évaluer le lien entre les taux de TSH et le poids a révélé que même une légère augmentation de la TSH est associée à un gain de poids tant chez les hommes que chez les femmes. Les sujets choisis n'étaient pas traités pour la glande thyroïde et les résultats de TSH se trouvaient dans les valeurs normales, soit entre 0,5 à 5,0 mU/L. Après avoir comparé les changements des concentrations de TSH et le poids chez les participants sur une période de trois ans et demi, les chercheurs ont suggéré deux raisons qui pourraient expliquer leur conclusion: une dépense d'énergie plus basse (diminution de la thermogenèse) associée à la diminution de la fonction thyroïdienne, et des taux de triiodothyronine (T3) plus bas qui seraient associés à une diminution du métabolisme de repos[45].

Le gain pondéral pourrait donc être attribué à un métabolisme plus lent qui réduirait à son tour le nombre de calories brûlées. Ridha Arem affirme que lorsque le taux de sérotonine au cerveau diminue par manque d'hormones thyroïdiennes, la personne ressent un désir insatiable pour des aliments riches en gras et en glucides. L'appétit augmente alors, étant donné que la satiété n'est pas atteinte. Comme les aliments riches en glucides améliorent l'humeur et diminuent l'anxiété et la dépression, les individus hypothyroïdiens souffrant de dépression (par manque de sérotonine) seront plus à risque de prendre du poids. Les hormones thyroïdiennes jouent donc un rôle important dans la régulation du comportement alimentaire.

Aussitôt l'hypothyroïdie diagnostiquée et le traitement commencé, plusieurs personnes perdront du poids dans les semaines ou les mois à venir. Alors que certaines verront fondre leur surplus de kilos sans efforts de leur part, d'autres devront y travailler plus rigoureusement. Bien entendu, l'âge et l'état de santé général peuvent entrer en ligne de compte. Une femme en pleine ménopause avec un surplus d'œstrogènes, qui peut déjà entraîner l'embonpoint, aura vraisemblablement plus de difficulté à se débarrasser de son excès de poids qu'une jeune femme dans la vingtaine qui n'a jamais eu de problème de poids auparavant.

On sait en outre que le métabolisme ralentit plus on avance en âge. Mais il ne faut pas se décourager : on peut le stimuler en faisant de l'exercice. Le naturopathe Joseph Pizzorno explique que l'exercice est particulièrement important dans le traitement de l'hypothyroïdie. L'exercice incite la glande thyroïde à sécréter plus d'hormones et augmente la sensibilité des tissus aux hormones thyroïdiennes. Il ajoute que l'activité physique est spécialement bénéfique pour les hypothyroïdiens qui suivent un régime amaigrissant. En effet, lorsqu'il y a moins de calories dans l'alimentation, le corps a tendance à diminuer son rythme métabolique afin de préserver son énergie. Il a été démontré que l'exercice peut prévenir le ralentissement du métabolisme durant le régime[46]. Un programme d'exercice soutenu peut stimuler le métabolisme, améliorer la qualité du sommeil, convertir le gras en muscle et augmenter l'énergie.

Depuis quelques décennies, les chercheurs ont remarqué une corrélation entre la progression de l'obésité et la diminution du nombre d'heures de sommeil par nuit. Alors que la prévalence de l'obésité doublait, les nuits de sommeil raccourcissaient d'une à deux heures, soit une nuit moyenne de moins de sept heures. Des études plus poussées ont révélé que moins les sujets dorment, plus leur taux d'adiposité est élevé. Les scientifiques ont suggéré que les personnes qui dorment moins de sept ou huit heures auraient des concentrations plus basses de leptine, une hormone sécrétée par le tissu adipeux qui stimule la dépense énergétique et diminue la faim. Il semble donc que le sommeil exerce une influence sur la régulation du poids. D'un autre côté, dormir trop stimulerait aussi une prise pondérale[47].

Plusieurs études ont appuyé ces dires. On sait maintenant que plusieurs hormones aident à contrôler la faim ; la leptine et la ghréline font partie de celles-ci. La leptine régule les réserves de graisse dans l'organisme en diminuant la faim ; plus ses concentrations sont élevées, moins les gens ont faim. La ghréline, produite par l'estomac, augmente l'appétit et induit une accumulation de graisse ; plus ses taux sont élevés, plus les gens ont faim.

D'après une étude où l'on examinait l'effet du manque de sommeil chez 12 jeunes hommes de poids normaux, non fumeurs et ne prenant pas de médicaments, on a déduit que le manque de sommeil semblait avoir une influence sur les hormones qui régulent l'appétit. Les taux de leptine ont diminué, ceux de la ghréline ont augmenté et les hommes ont rapporté avoir plus d'appétit, spécialement pour des aliments à haute teneur en glucides. On émet donc la théorie qu'un manque de sommeil chronique pourrait mener à trop manger[48].

Lorsque l'hypothyroïdie est bien gérée et que la perte de poids se fait attendre, il faut déterminer si d'autres facteurs doivent être pris en considération. Par exemple, plusieurs médicaments (comme certains antidépresseurs, le lithium, les stéroïdes, les œstrogènes, l'insuline, les sédatifs, les anxiolytiques) encouragent l'excès pondéral, tout comme d'autres facteurs (l'hypoglycémie, le diabète ou d'autres maladies, la fatigue surrénalienne, l'alimentation, la déshydratation et le sédentarisme). Le rythme de vie effréné d'aujourd'hui où même les heures de sommeil doivent être prévues peut favoriser un état de stress quasi permanent, auquel s'ajoute trop souvent une fatigue chronique tant physique que mentale. Rien d'étonnant à ce que le fonctionnement de la glande thyroïde soit chamboulé.

L'alimentation visant une perte pondérale devrait inclure des protéines à chaque repas et à chaque collation, car elles sont nécessaires à la croissance, au maintien et à la réparation des tissus. Les protéines sont essentielles pour bâtir les muscles et pour préserver l'énergie. De préférence, on devrait s'abstenir de manger un aliment glucidique (légumes, fruits, pâtes) sans une portion de protéines pour l'accompagner.

Bien que cela puisse parfois aller à l'encontre des bonnes combinaisons alimentaires, dans ce cas précis, il est plus important que la protéine ralentisse le processus de la digestion et maintienne la satiété. Les acides gras essentiels, qui ne peuvent pas être synthétisés par l'organisme, doivent également faire partie intégrante d'une saine alimentation. De bonnes sources d'acides gras oméga-3 et oméga-6 sont les poissons d'eau froide (saumon, maquereau, sardine, hareng, thon), les suppléments d'huile de poisson, les huiles de lin, de chanvre, de canola, de germe de blé et de soya, les graines de citrouille, de tournesol et de lin, les noix, les fruits de mer et le krill. Quant aux fibres, en plus de supporter le processus de digestion et d'élimination, elles vous donnent rapidement la sensation d'être rassasié.

Comme nous l'avons vu au chapitre 6, le sucre raffiné, l'alcool et la caféine sont très nuisibles à la glande thyroïde. Pire encore, ce sont des calories vides dénuées de toute valeur nutritive ; il serait donc préférable de les éviter autant que possible. Les édulcorants de synthèse qui donnent un goût sucré aux aliments sans ajouter de calories sont aussi néfastes pour l'organisme. À leur apparition sur le marché il y a plus de 30 ans, les succédanés de sucre semblaient surtout destinés aux diabétiques qui devaient diminuer leur consommation de sucre. Toutefois, l'histoire a pris une tout autre tournure alors qu'ils furent intégrés à de plus en plus d'aliments dits «diètes» ou «hypocaloriques». Les gens ont tendance à en consommer plus, car ils savent que les édulcorants ne comptent pratiquement pas de calories. Pourtant, ceux-ci contiennent aussi des hydrates de carbone et en manger une plus grande quantité augmente le nombre de calories ingérées. Ces faux sucres font maintenant l'objet de nombreuses études.

Des chercheurs ont récemment révélé les résultats d'une expérience qui examinait les effets de la saccharine chez des rats. Ils ont ajouté du yogourt sucré à la saccharine au régime habituel des rats, alors qu'un autre groupe recevait la même quantité de yogourt sucré au vrai sucre. Les rats qui avaient été nourris au yogourt sucré à la saccharine ont consommé plus de calories, et leur poids ainsi que leur taux d'adiposité ont augmenté. En outre, leur température corporelle n'avait pas augmenté après la consommation de calories comme elle aurait habituellement dû le faire. Ces résultats suggèrent que la consommation d'édulcorants artificiels pourrait mener à la prise de poids et à l'obésité en interférant avec les processus physiologiques du corps[49].

Pour toute personne qui souffre d'hypothyroïdie, la gestion du poids commence par la régulation du fonctionnement de la glande thyroïde. Cette étape peut s'échelonner sur plusieurs mois, surtout si on joue de malchance et que le bon dosage ou même le bon médicament n'est pas prescrit dès le départ.

Comme tout fin stratège, vous devrez prendre du recul et envisager toutes les facettes de votre situation. Ainsi, tout doute relatif à l'existence d'un autre problème de santé qui pourrait ralentir vos efforts devra être écarté (fatigue surrénalienne, hypoglycémie, déséquilibre œstrogène-progestérone) et, s'il y a lieu, le problème solutionné. Des changements à l'alimentation, l'exercice et le sommeil font également partie d'une saine gestion du poids corporel. Peu à peu, la plupart des hypothyroïdiens verront leurs efforts récompensés, certains plus rapidement que d'autres.

Voyons maintenant plus en détail les modifications à apporter à l'alimentation afin d'encourager le fonctionnement optimal de la glande thyroïde.

Chapitre 8

Bien nourrir
la glande thyroïde

«Que peut bien manger une glande thyroïde?», me direz-vous. Comme toute partie essentielle du corps humain, cet «engin» métabolique doit être continuellement ravitaillé en nutriments. Toute carence d'un élément nécessaire à l'exécution de ses fonctions se répercutera jusqu'à l'intérieur de chaque cellule, mettant ainsi en jeu l'intégrité de l'organisme. Plusieurs nutriments sont absolument indispensables au bon rodage de cette petite glande pesant tout juste 28 g (1 oz). C'est le cas de l'iode, l'élément le plus impliqué dans la synthèse des hormones thyroïdiennes, mais il ne faut pas négliger l'importance d'autres composantes alimentaires, comme le sélénium, le zinc et les vitamines.

Depuis les dernières décennies, une grande part de la population devient plus sensible aux moyens naturels dont elle peut faire usage pour améliorer sa santé. Certains préfèrent réviser leur style de vie pour y inclure une alimentation plus saine, un programme d'exercice et des moyens pour mieux gérer leur stress plutôt que d'avoir à avaler chaque jour quelques comprimés aux effets secondaires parfois peu connus.

Lorsqu'on parle de foie paresseux, de sang acidifié ou de reins surtaxés, bien des gens arrivent à comprendre l'intérêt d'une cure de nettoyage une ou deux fois par année. Après tout, le foie, le sang et les reins ne filtrent-ils pas tous nos déchets organiques? Cependant, qu'en est-il de la thyroïde? Aussi petite soit-elle, la glande a aussi besoin d'améliorer son sort. Au chapitre 6, nous avons vu la relation entre un foie en santé et le bon fonctionnement de la thyroïde. Cette dernière, tout comme les autres organes, requiert sa part de soutien; on doit la nettoyer et répondre à ses besoins nutritifs afin de l'aider à maintenir son équilibre. Beaucoup de gens souffrant d'hypothyroïdie auront besoin d'hormones thyroïdiennes de remplacement. Il ne s'agit en aucun cas d'arrêter un traitement en cours parce qu'il fournit l'apport quotidien en hormones thyroïdiennes dont vous avez besoin.

Toutefois, on sait que, pour certaines personnes, ce ne sera pas suffisant. Quelques symptômes persisteront malgré le respect de la posologie. C'est en appliquant les changements mentionnés dans ce livre, et en supplémentant leur alimentation avec les adjuvants nutritionnels qui seront vus ici, qu'elles mettront toutes les chances d'une bonne santé hormonale de leur côté. Il en va de même pour les gens qui ont été avisés d'une légère augmentation de leur taux de TSH (hypothyroïdie subclinique). Ils pourraient parvenir à renverser le processus de déséquilibre thyroïdien alors qu'il n'en est qu'à ses débuts, avant que la thyroïde s'épuise et devienne réellement malade.

Certains médecins prétendent même que l'hypothyroïdie puisse être consécutive à une carence nutritionnelle (zinc, sélénium, fer) et qu'en conséquence, la prise d'hormones de substitution aura peu d'effets. Ainsi, au lieu d'augmenter le dosage des hormones de remplacement, ce qui mettrait assurément la glande thyroïde au repos, on devrait s'allouer une période d'essai de plusieurs mois en suppléant aux déficiences nutritionnelles.

Les goitrogènes

Des agents goitrogènes d'origine alimentaire peuvent nuire à l'utilisation de l'iode par la glande thyroïde. Certains aliments, surtout s'ils sont consommés crus et en grande quantité, peuvent provoquer un goitre en bloquant la synthèse de la thyroxine. Ils agissent comme des médicaments antithyroïdiens en diminuant le fonctionnement de la thyroïde. L'élément goitrogène s'attache à la molécule d'iode dans l'intestin et empêche son assimilation par le corps. Bien que l'on soit moins confronté à cette situation dans les pays industrialisés où le régime est varié, les aliments goitrogènes continuent de contribuer à l'endémie goitreuse dans certaines régions pauvres dans le monde. Par exemple, dans les régions de l'Afrique où le manioc est considéré comme l'aliment de base, le goitre par carence iodée reste un problème sérieux.

Les aliments goitrogènes sont les légumes de la famille des crucifères dont le chou, le chou de Bruxelles, le chou-fleur, le chou frisé, le brocoli, le navet, les feuilles de moutarde, le rutabaga, le radis, le raifort, le manioc, le millet, la patate douce, l'épinard, l'arachide, la noix de pin, le soya, la pêche et la fraise. La cuisson inactive ou minimise l'effet goitrogénique. À moins qu'il n'y ait une consommation excessive et fréquente de ces aliments, surtout sous forme de crudités, il n'est pas nécessaire de les exclure de l'alimentation.

L'iode

L'iode, qui joue un rôle essentiel dans la synthèse des hormones thyroïdiennes, est présent dans le corps humain en très faible quantité, soit de 15 à 20 milligrammes (mg) chez l'adulte. S'il est déficient dans l'alimentation, la glande thyroïde ne pourra plus produire une quantité suffisante d'hormones thyroïdiennes afin d'assurer les fonctions métaboliques du corps. L'iode est le constituant le plus important de la thyroxine (T4) et de la triiodothyronine (T3), soit 65 % de la masse de la T4 et 58 % de celle de la T3[50]. Comme il ne peut pas être stocké dans le corps, à part une petite réserve dans la thyroïde même, l'approvisionnement de ce précieux oligoélément devra se faire de façon continue. L'iode sera absorbé par l'estomac et par l'intestin (duodénum), converti sous forme d'iodure, puis transporté à la glande thyroïde par le sang. L'excès sera excrété principalement par les reins (urine), alors qu'une petite quantité sera perdue dans la transpiration, les larmes, la salive et la bile.

Comme il en a été question au chapitre 5, les problèmes dus à la carence iodée existent encore dans différents coins de notre planète. On trouve toujours plusieurs pays où la population ne reçoit pas l'apport minimal d'iode requis à la fabrication des hormones thyroïdiennes, soit de 60 µg par jour. Pour différentes raisons déjà mentionnées (régime sans sel, malnutrition, appauvrissement du sol, éloignement des régions côtières), la consommation d'iode diffère grandement d'une région à l'autre. Lorsque l'apport en cet oligoélément est insuffisant, la thyroïde se démène pour en capter davantage; c'est alors qu'elle augmente de volume et que le goitre fait son apparition.

On suggère que les Nord-Américains consomment de 200 à 700 µg d'iode quotidiennement comparativement à 20 à 150 µg en Allemagne, 50 à 150 µg au Chili et 130 à 180 µg en Suisse. Les apports journaliers recommandés sont de 40 à 50 µg pour le nourrisson de moins de 1 an, 70 µg jusqu'à 3 ans, de 90 à 120 µg pour les enfants âgés entre 3 et 10 ans, 150 µg pour les adultes et 200 µg pour la femme enceinte ou qui allaite. Selon l'Association diététique américaine, 2,5 ml (1/2 c. à thé) de sel iodé contient environ 150 µg d'iode. On trouve principalement l'iode dans les produits marins tels que le sel marin, les algues marines, les poissons de mer, l'huile de foie de morue, les crustacés ainsi qu'en plus petites quantités dans le soja, les produits laitiers, la viande, l'œuf, l'asperge, l'ail, le champignon, l'épinard, la fève de Lima et la graine de sésame.

> L'iode joue un rôle important non seulement dans la santé de la glande thyroïde, mais aussi dans la santé mammaire en régulant l'utilisation des œstrogènes, ce qui aide à prévenir plusieurs problèmes aux seins, des fibromes au cancer. De même, il permet de préserver la santé des yeux, de la prostate, de l'utérus, des ongles, de la peau et des cheveux.

Comme l'iode participe au métabolisme des lipides et qu'un des symptômes notoires de l'hypothyroïdie est justement la prise de poids, il n'est pas surprenant qu'on puisse y voir un lien. Existe-t-il une carence en iode au sein de la population en général qui jouerait un rôle dans les problèmes de surcharge pondérale, quand ce n'est pas carrément d'obésité, si fréquents de nos jours? À part la rareté de l'iode dans le régime de certaines personnes, d'autres facteurs influencent sa disponibilité dans l'organisme, dont les éléments du groupe des halogènes du tableau périodique considérés comme des «voleurs» d'électrons. En effet, ceux-ci déplacent l'iode ou perturbent ses fonctions. Il s'agit surtout des fluorures, des chlorures et des bromures qui sont des toxines environnementales très néfastes que nous avons vues au chapitre 6. Le mercure, l'aspirine et d'autres salicyclates ainsi que les stéroïdes dérangent également l'assimilation de l'iode. Comme notre vie moderne nous expose de plus en plus à toutes ces substances potentiellement toxiques pour l'organisme humain, il ne faut pas se surprendre que le pourcentage de gens souffrant de troubles thyroïdiens monte en flèche depuis quelques décennies.

Alors qu'une déficience en iode mène à l'hypothyroïdie, un excès de ce même oligoélément peut aussi porter atteinte au bon fonctionnement de la glande thyroïde. À coup sûr, un surplus d'iode en circulation dérange les fonctions thyroïdiennes. De grandes quantités d'iode peuvent réduire la libération d'hormones thyroïdiennes par la glande thyroïde (hypothyroïdie), alors que chez d'autres personnes, cet excès pourrait résulter en une surproduction d'hormones thyroïdiennes (hyperthyroïdie). Le fœtus est particulièrement sensible à une surcharge iodée. Le bébé pourrait alors voir le jour avec un goitre et une thyroïde hypoactive. Un goitre assez gros pourrait comprimer sa trachée et causer des troubles respiratoires.

Une quantité aussi faible que 750 µg d'iode par jour peut être considérée comme une consommation excessive et mener à des symptômes autres que ceux liés à la glande thyroïde, comme un goût métallique et des plaies dans la bouche, le saignement des gencives, l'augmentation de la salivation, l'œdème des glandes salivaires, l'arythmie cardiaque, la confusion, les maux de tête, les étourdissements, la faiblesse, la fatigue, la lourdeur dans les jambes, la fièvre, la douleur abdominale, la diarrhée et les vomissements. Ces symptômes dépendent, bien entendu, de la durée de la surdose et de son importance. Par ailleurs, certaines personnes sont allergiques aux aliments contenant de l'iode.

Ces constatations nous mènent à un questionnement tout à fait légitime: «Je souffre d'hypothyroïdie et je prends un substitut d'hormones thyroïdiennes chaque matin. Dois-je aussi consommer un supplément d'iode afin d'aider ma thyroïde à mieux fonctionner?», «Ma mère et mes deux sœurs souffrent d'hypothyroïdie. Devrais-je prendre un supplément d'iode comme prévention?», «Je suis un hypothyroïdien avec médicament, mais je suis toujours fatigué et je n'arrive pas à perdre du poids. Est-ce qu'un supplément d'iode pourrait m'aider?». Malheureusement, il n'y a pas une seule réponse facile à ces questions, car tout dépend de l'individu et de ses antécédents médicaux et familiaux. Chose certaine, les personnes diagnostiquées comme hyperthyroïdiennes doivent s'abstenir de tout iode.

Il ne fait aucun doute que pour les millions d'habitants des régions du monde carencées en iode, la supplémentation iodée est cruciale. Pour ce qui est de la population des pays développés, une alimentation équilibrée devrait suffire à combler le besoin quotidien d'iode. Il faut éviter de se mettre à saupoudrer du sel partout en se disant qu'il contient de l'iode. Il faut se souvenir que l'excès de sel est nocif à la santé des reins. La modération a souvent bien meilleur goût.

Lorsqu'ils sont confrontés à une légère baisse de l'activité thyroïdienne, plusieurs médecins et naturopathes recommandent un supplément d'iode, de varech (algue marine), de noyer noir ou une formule combinée à base d'iode. Mais voilà encore un sujet bien controversé. Certains médecins argumentent que non seulement l'iode n'est pas nécessaire, mais qu'il peut empirer la situation. Il s'agit alors d'utiliser son libre arbitre, de bien s'informer, de faire des essais tout en restant bien à l'écoute de son corps et en effectuant des bilans sanguins au besoin.

Si la tendance est vers l'hypothyroïdie subclinique (à la limite de l'hypothyroïdie), il est certain que la mise au point du corps telle que décrite au chapitre 6 est recommandée. Certains médecins et naturopathes insistent que de commencer à prendre des hormones thyroïdiennes pourrait condamner la personne à prendre un traitement à vie. Ils préconisent d'essayer d'abord une stratégie qui consiste à soutenir la thyroïde en lui fournissant des éléments nutritifs qui visent à normaliser la fonction thyroïdienne incluant l'iode (souvent sous forme d'algues marines), le sélénium, le zinc, le cuivre, les vitamines A, C et E, ainsi que certaines vitamines du groupe B.

Alors que l'ajout d'iode continue à entretenir la polémique, l'utilisation des autres vitamines et minéraux ne semble pas soulever autant de controverse. Lorsque la personne est à même de fonctionner malgré quelques symptômes d'hypothyroïdie, il semble pertinent de prendre le temps d'essayer de trouver une solution naturelle avant d'envisager un traitement hormonal substitutif à vie.

En principe, les gens souffrant d'hypothyroïdie qui suivent un traitement approprié ne devraient pas avoir besoin d'un supplément iodé. Dans un monde idéal, ces personnes seraient au mieux de leur forme en respectant leur dosage journalier. Cependant, on sait que dans la vraie vie un grand pourcentage d'hypothyroïdiens, même les mieux intentionnés vis-à vis de leur traitement, peuvent rester aux prises avec des symptômes désagréables.

Comme toute règle a ses exceptions, certaines personnes de cette catégorie confirment qu'elles ont amélioré leur sort en ajoutant un supplément d'iode à leur alimentation, souvent sous forme d'algues marines comme le varech. D'autres se sont senties très mal en faisant l'essai. D'autres encore n'ont pas toléré l'iode comme tel, mais ont profité de l'ajout d'un supplément de varech. Il y a aussi des gens qui affirment que bien qu'ils n'aient pas toléré l'ajout d'iode, ils se sentent mieux en supplémentant avec des vitamines et minéraux spécifiques à la santé de la glande thyroïde.

Outre l'iode, la glande thyroïde a besoin d'autres carburants pour fonctionner de façon optimale. Dans les pays en voie de développement, les apports d'iode, de fer et de vitamine A sont souvent insuffisants dans l'alimentation. Ainsi, au cours d'une étude sur la Côte-d'Ivoire, on s'est rendu compte que les enfants à risque d'un goitre qui étaient traités avec de l'iode répondaient peu au traitement s'ils étaient aussi carencés en fer.

L'iode est, sans aucun doute, l'élément nutritif de base de la glande thyroïde. Par contre, on doit réaliser que son utilisation n'est pas sans risque pour certaines personnes. Il est toujours préférable de travailler en conjonction avec son médecin traitant et d'être bien informé de son état réel. Cette complicité permet de prendre des décisions éclairées et d'assurer un suivi médical plus rigoureux en période de changement.

Le sélénium

Le sélénium fait partie des oligoéléments requis par la glande thyroïde afin d'assurer la production des hormones thyroïdiennes. Tout comme l'iode, il n'est pas fabriqué par l'organisme et doit provenir de l'alimentation. Le sélénium joue un rôle prépondérant dans l'activité thyroïdienne. Il s'agit d'un composant de l'enzyme (iodothyronine déiodinase) qui aide à convertir la thyroxine (T4) en sa forme active, la triiodothyronine (T3).

La carence en sélénium semble surtout causer une réduction de la conversion dans les tissus périphériques. De ce fait, cette carence nuit à la fonction thyroïdienne et favorise l'apparition de l'hypothyroïdie ; on trouve alors chez ces personnes des concentrations plus élevées de thyroxine et de TSH. Des valeurs plus basses du sélénium sérique ont été associées à une diminution des taux de T3 chez les personnes âgées. Certaines recherches suggèrent que cet oligoélément puisse diminuer ou même supprimer les anticorps antithyroïdiens chez les gens souffrant de thyroïdite auto-immune[51]. Le sélénium et l'iode partagent un lien biochimique relativement à la production d'hormones thyroïdiennes.

Un apport adéquat en sélénium soutient le métabolisme de la thyroïde et la synthèse d'hormones, et protège la glande du dommage causé par l'exposition aux iodures. Effectivement, une déficience en sélénium permet aux radicaux libres d'exercer un effet dommageable sur la glande thyroïde, ce qui augmente l'inflammation et accélère la destruction de celle-ci.

Le sélénium est un puissant antioxydant dont l'apport dans l'alimentation dépend grandement de la qualité des sols où poussent les aliments. Certains spécialistes croient que des concentrations de T3 plus basses que la normale sont caractéristiques des régions où les sols sont pauvres en sélénium. Le stress et les blessures graves semblent rendre le corps déficient en cet oligoélément. De ce fait, après un traumatisme important comme une grande brûlure, la conversion de T4 en T3 semble réduite.

On recommande de supplémenter la diète avec 200 µg de sélénium par jour sans dépasser 400 µg. Ses sources alimentaires sont la noix du Brésil (de 70 à 90 µg par noix), les produits animaux, le poisson, les fruits de mer, les céréales complètes, la levure de bière, l'ail, l'oignon, le varech et l'œuf. Un abus sérieux de sélénium dépassant 1000 µg par jour peut causer une intoxication et se manifester par un goût métallique dans la bouche, une odeur d'ail dans l'haleine ou l'urine, le rougissement des yeux, les cheveux et les ongles cassants et tombants, la fatigue, l'irritabilité, la dépression et la nausée. Il peut aussi endommager la glande thyroïde.

L'ajout d'un supplément de sélénium chez certaines personnes souffrant d'hypothyroïdie subclinique pourrait augmenter la conversion intracellulaire de la T4 en T3 et ainsi corriger les troubles métaboliques de la glande thyroïde. Chez les hypothyroïdiens suivant déjà un traitement, il pourrait s'avérer être le coup de pouce qu'il faut pour se sentir plus en forme. Cet important oligoélément mérite qu'on s'y intéresse, et en partenariat avec d'autres vitamines et minéraux, il pourrait être la clé du mieux-être.

Le zinc et le cuivre

Bien qu'il ne soit présent qu'en très minime quantité dans le corps humain, le zinc reste un oligoélément indispensable au bon fonctionnement de l'organisme. En fait, on le trouve dans chaque cellule du corps et il participe à plus d'une centaine de processus enzymatiques, bien que certains experts estiment qu'il s'agirait d'un nombre autrement plus grand. La glande thyroïde requiert du zinc pour la fabrication des hormones thyroïdiennes ainsi que pour la conversion de la T4 en T3. Le zinc est aussi nécessaire au bon fonctionnement de l'hypothalamus qui est lié à la fonction thyroïdienne.

Si l'alimentation équilibrée était la norme chez les Nord-Américains, les carences en zinc devraient être plutôt rares, mais il semble qu'un très grand nombre d'entre eux souffrent d'une déficience marginale en zinc. Certains facteurs influencent négativement la teneur de l'organisme en zinc en diminuant son absorption dont, entre autres, le régime végétarien, la consommation excessive de fibres, le régime amaigrissant, les contraceptifs oraux, l'exercice excessif, les suppléments de calcium, de cuivre ou de fer (lorsqu'ils sont pris en même temps ou en quantité abusive), le café et l'alcool. On remarque également que les niveaux de zinc sérique semblent diminuer après un traumatisme physique, et il est excrété plus rapidement dans l'urine en période de stress psychologique. La carence en zinc est très fréquente chez les personnes âgées, soit à la même période de vie où on détecte un nombre croissant de cas d'hypothyroïdie. Y aurait-il une corrélation?

Une étude publiée en 2007 s'est penchée sur l'effet d'une supplémentation de zinc sur le fonctionnement de la glande thyroïde. On a évalué les concentrations de zinc, de ferritine (protéine de stockage du fer), de T4 et de T3 totaux, de T3 et de T4 libres ainsi que de TSH chez deux jeunes étudiantes physiquement actives mais déficientes en zinc. On leur a administré un supplément de 26,4 mg de zinc par jour pendant quatre mois. À la fin de l'étude, les déficiences en zinc étaient corrigées et les taux de ferritine avaient diminué pour indiquer un état proche d'une déficience en fer. Chez une des femmes, seules les concentrations de T3 avaient augmenté alors que chez l'autre, tous les taux d'hormones thyroïdiennes avaient suivi le mouvement ascendant. Les chercheurs en ont conclu que la supplémentation en zinc semble avoir un effet positif sur les valeurs hormonales thyroïdiennes, particulièrement la T3 totale[52].

On trouve le zinc dans la viande, le poisson, les fruits de mer (l'huître est l'aliment qui en contient le plus), les noix, les légumineuses, les céréales entières, les graines de citrouille et de courge, l'œuf et le lait. Cet oligoélément est un puissant antagoniste aux éléments toxiques comme le cadmium (fumée de cigarette), le mercure et le plomb. Dans le cas de l'hypothyroïdie, on recommande un supplément de 25 mg de zinc par jour. Un excès de zinc, plus de 100 mg par jour pour une période prolongée, peut causer une carence en cuivre, des nausées, des vomissements, des crampes, de la diarrhée, de l'anémie, une détérioration du système immunitaire et une augmentation du mauvais cholestérol dans le sang.

Par ailleurs, le cuivre aide lui aussi à réguler le métabolisme thyroïdien ; il est essentiel à la fabrication des hormones thyroïdiennes et à leur absorption. Il stimule la production de thyroxine. Le ratio idéal de zinc et de cuivre devrait être de 8:1. Le taux de cuivre dans l'organisme est lié aux taux de zinc et de vitamine C. Si de grandes quantités de zinc et de vitamine C sont consommées, les niveaux de cuivre diminueront. S'il y a une grande consommation de cuivre, les valeurs du zinc et de la vitamine C chuteront.

La viande, le saumon, l'huître, l'œuf, la levure, l'avoine, le blé, l'avocat, les légumineuses, les noix et les graines sont des sources alimentaires de cuivre. Un dosage de 3 à 5 mg de cet oligoélément par jour chez l'hypothyroïdien est suffisant. Aussi peu que 10 mg peut causer des nausées, alors que plus de 60 mg peut mener à des symptômes plus sérieux de surdose.

Le corps humain est dépendant de toute une panoplie d'oligoéléments régulateurs, mais la glande thyroïde souffre le plus des carences nutritionnelles impliquant l'iode, le sélénium, le zinc et le cuivre.

Le fer

On remarque que des affections liées au taux de fer dans le sang sont plus fréquentes chez les hypothyroïdiens. Par exemple, les femmes souffrant d'hypothyroïdie ont une plus grande prédisposition à la ménorragie (saignement menstruel excessif), ce qui peut contribuer à l'anémie. L'hypothyroïdie peut aussi résulter en une moins grande production d'acide chlorhydrique par l'estomac, surtout chez les hommes, ce qui peut mener à une malabsorption du fer. Les hormones thyroïdiennes participent à la régulation de l'hématopoïèse (formation des globules sanguins) et du métabolisme du fer, alors que, inversement, une carence en fer diminue la synthèse des hormones thyroïdiennes en réduisant l'activité des enzymes peroxydases thyroïdiennes qui dépend du fer. L'anémie peut donc être la conséquence d'une diminution d'hormones thyroïdiennes ou le trouble thyroïdien peut être à l'origine d'une anémie.

Chose certaine, la déficience en fer peut altérer le métabolisme de la thyroïde, restreindre la conversion de T4 en T3 et augmenter la concentration de TSH en circulation. L'anémie ferriprive interfère également avec l'efficacité du traitement iodé (situation fréquemment rencontrée dans les pays sous-développés), alors qu'un supplément de fer l'améliore[53].

L'ajout d'un supplément de fer est nécessaire seulement lorsque le médecin détecte une légère baisse du taux de fer ou une anémie plus sérieuse au moment du bilan sanguin ; il est le mieux placé pour évaluer la nécessité d'un tel traitement. Il est intéressant de noter que certains symptômes de l'anémie s'apparentent à ceux de l'hypothyroïdie : douleurs diffuses, fatigue, faiblesse, manque de concentration, difficulté à penser clairement, augmentation du rythme cardiaque, palpitations, dépression, baisse du désir sexuel.

Comme le fer nuit à l'absorption des substituts d'hormones thyroïdiennes, il faudra compter de trois à quatre heures entre la prise des médicaments. Le fer est particulièrement important pour la femme enceinte et la santé de son bébé.

Des sources de fer sont la viande rouge, la volaille, le poisson, les légumineuses, les grains entiers, les fruits séchés, les noix et l'œuf. La vitamine C aide à l'absorption du fer. Les hypothyroïdiens qui désirent prendre un supplément de vitamines et de minéraux et qui n'ont pas de carence en fer devraient plutôt opter pour une formule sans fer.

La L-tyrosine

La L-tyrosine est un acide aminé (composant de la protéine) précurseur de l'hormone thyroïdienne T4 et de plusieurs neurotransmetteurs dont l'adrénaline, la noradrénaline et la dopamine. L'organisme la synthétise à partir d'autres acides aminés. En vieillissant, il arrive que sa production s'amenuise et qu'elle ne soit plus suffisante pour répondre aux besoins de la thyroïde, de là l'avantage d'une supplémentation. La glande thyroïde combine la L-tyrosine à l'iode pour ensuite convertir la paire en T4 et en T3. La L-tyrosine, tout comme l'iode, prend part au bon fonctionnement de la thyroïde. Une carence de cet acide aminé peut se manifester par de l'hypotension, une température corporelle plus basse que la normale (mains et pieds froids) et le syndrome des jambes agitées. Des sources naturelles de tyrosine incluent l'amande, la fève de Lima, l'avocat, la banane, les produits laitiers, les graines de citrouille et de sésame.

La L-tyrosine existe aussi sous forme de supplément. Cet acide aminé pourrait faire partie d'un programme de remise en forme de la glande thyroïde si la personne n'est pas en traitement pour celle-ci. Par exemple, si on a quelques symptômes d'hypothyroïdie subclinique que le médecin ne veut pas traiter dans l'immédiat, il pourrait s'avérer intéressant d'en faire l'essai. Le dosage suggéré est de 500 à 1500 mg, bien qu'il soit conseillé de commencer doucement avec 500 mg par jour. Comme elle agit également sur d'autres neurotransmetteurs, les effets escomptés sont nombreux, notamment un sentiment de bien-être, un effet calmant (contre le stress), une vivacité d'esprit, un meilleur sommeil et une stimulation des glandes surrénales. On note en outre que le métabolisme des graisses est facilité et que le métabolisme basal est stimulé (perte de poids). On doit éviter de prendre des suppléments de L-tyrosine si on suit un traitement pour la glande thyroïde ou si on souffre d'hypertension. Les gens suivant un traitement à base d'inhibiteurs de la monoamine oxydase (MAO) (antidépresseurs) doivent limiter leur consommation de tyrosine tant dans les aliments que sous forme de supplément.

D'autres nutriments essentiels

Le corps humain a besoin de toute une kyrielle d'éléments nutritifs pour fonctionner de façon optimale. Cette minuscule petite glande qu'est la thyroïde nécessite à elle seule tout un arsenal bien spécifique à ses propres besoins. Autres ceux que nous avons déjà mentionnés, afin de maximiser son rendement, la thyroïde devra aussi être assurée d'une quantité adéquate des vitamines A, B, C et E, de calcium, de magnésium et d'acides gras essentiels (AGE). Plusieurs éléments nutritifs travaillent en synergie; lorsque chacun est au rendez-vous, ils fonctionnent comme un ballet bien orchestré. Même si cette liste peut sembler longue, il existe de bonnes formules de vitamines et de minéraux qui en incluent plusieurs. Il suffit de bien vérifier si les dosages sont appropriés à vos besoins individuels et d'y rajouter les éléments manquants.

La vitamine A

La vitamine A est requise pour la fabrication des hormones thyroïdiennes et la conversion de T4 en T3. On trouve deux types de vitamine A, soit la vitamine A préformée (rétinol) ou le bêta-carotène d'origine végétale.

Le bêta-carotène est converti en vitamine A dans l'organisme. Cette transformation nécessite une forme active d'hormones thyroïdiennes pour avoir lieu. Lorsqu'on souffre d'hypothyroïdie, la conversion du bêta-carotène en vitamine A est perturbée ou ralentie. Pour cette raison, les bilans sanguins démontrent souvent des concentrations plus basses de vitamine A et plus élevées de bêta-carotène. Ces taux anormaux, surtout s'ils sont accompagnés d'une hypercholestérolémie, peuvent indiquer une hypothyroïdie subclinique avant que d'autres symptômes d'hypothyroïdie soient apparents. Quand l'absorption du carotène est inhibée, on peut voir apparaître un dépôt de carotène dans la peau. Les gens auront parfois tendance à avoir la peau jaunâtre, comme aux sillons de chaque côté du nez, et de façon encore plus marquée sur les paumes des mains et les plantes des pieds qui pourront même tirer vers l'orangé de la carotte. Il est donc préférable que les hypothyroïdiens consomment de la vitamine A préformée à des dosages entre 10 000 à 25 000 UI par jour.

L'œuf, le lait et les produits laitiers, les organes d'animaux et les huiles de foie de poisson constituent de bonnes sources de vitamine A. L'incapacité des hypothyroïdiens et des diabétiques à transformer efficacement le bêta-carotène en vitamine A peut causer un stress supplémentaire sur leur foie. La femme enceinte ne devra pas excéder 10 000 UI par jour.

Les vitamines B, C et E

Il n'existe pas de plus bel exemple de synergie que les vitamines du complexe B; toutes travaillent pour assurer l'efficacité des autres. Par exemple, la B_6 (pyridoxine) se joint à la B_9 (acide folique) et à la B_{12} (cyanocobalamine) pour combattre l'anémie. Ce trio joue également un rôle important dans la santé du système immunitaire et, par conséquent, dans le traitement des maladies thyroïdiennes. Les vitamines B_2 (riboflavine), B_3 (niacine) et B_6 sont essentielles à la synthèse de la thyroxine, tout comme le sont les vitamines A, C et E. La vitamine E fait partie des multiples microéléments indispensables à la conversion de la thyroxine en sa forme active de T3; elle est nécessaire à une bonne assimilation de l'iode. La vitamine E peut même aider à dissoudre les tissus cicatriciels formés dans la glande thyroïde qui pourraient nuire à sa production hormonale. De par leurs puissantes propriétés antioxydantes, les vitamines C et E aident à soutenir la fonction immunitaire.

La carence en vitamine B_{12} semble être dominante chez les hypothyroïdiens. Une étude a été menée auprès de 116 participants, 95 femmes et 21 hommes, souffrant d'hypothyroïdie. Ils ont été évalués pour déceler des symptômes associés à une déficience en B_{12}: faiblesse généralisée, trouble de la mémoire, dépression, engourdissement et diminution des réflexes. Quarante-six patients (39,6 %), autant de femmes que d'hommes, ont démontré des concentrations plus basses que la normale de la vitamine B_{12} sérique. Vingt et un autres, qui avaient des tests sanguins normaux mais qui se plaignaient des mêmes symptômes, ont aussi été traités par une injection mensuelle de vitamine B_{12}. Après six mois, 8 des 21 (40 %) patients se sont sentis mieux, ce qui n'excluait pas l'effet placebo. Malgré tout, les médecins ont conclu qu'environ 40 % des hypothyroïdiens souffrent également d'une déficience en vitamine B_{12}. C'est pourquoi ils recommandent un dépistage pour établir les niveaux de vitamine B_{12} chez tous les hypothyroïdiens[54].

Les hypothyroïdiens ne semblent pas bien absorber la vitamine B_{12} de source alimentaire. Comparativement, elle est mieux absorbée par administration sublinguale qu'orale. Les gens souffrant d'une déficience sérieuse de B_{12} doivent avoir recours à des injections mensuelles. L'effet synergique du complexe B est augmenté par certains autres nutriments comme la vitamine C et le zinc. Il est donc important de pourvoir à toutes les carences. On recommande un supplément quotidien du complexe B (100 mg), qui contient les vitamines B_2, B_3 et B_6, et 400 µg d'acide folique (B_9). En outre, on suggère de 1000 à 3000 mg de vitamine C et 400 UI de vitamine E par jour. Comme les vitamines B et C sont hydrosolubles, tout excès sera excrété dans les urines. Il n'en va pas de même pour la vitamine E qui est liposoluble et qui, prise en trop grande quantité, peut causer quelques désagréments gastro-intestinaux et des maux de tête. Dans ce cas, il ne faut pas excéder 800 UI par jour.

Voici les sources alimentaires suggérées pour:

- la vitamine B_2: les légumes à feuillage vert, la fève de soya, les céréales entières, les abats, le poulet, le jaune d'œuf, les produits laitiers, l'amande, le champignon cru et l'avocat;

- la vitamine B_3: les céréales entières, les légumineuses, la levure de bière, l'avocat, le brocoli, la carotte, la patate, la tomate, la datte, l'œuf, le lait, le poisson, les abats, la volaille et l'arachide;

- la vitamine B_6: la levure de bière, le poulet, la viande, le poisson d'eau salée, l'œuf, la carotte, le pois, l'épinard, le chou, les légumes à feuillage vert, la graine de tournesol, la noix de Grenoble, le germe de blé, les céréales entières, le cantaloup et la banane;

- la vitamine B_9 (acide folique): l'orge, la levure de bière, le riz brun, les céréales entières, le fromage, le lait, le bœuf, le poulet, l'agneau, le porc, le foie, les légumineuses, les agrumes, la datte, les légumes à feuillage vert, le champignon, l'asperge, le pois, le saumon et le thon;

- la vitamine B_{12} : la levure de bière, les rognons, le foie, les coques, le hareng, le maquereau, l'œuf, les produits laitiers, les fruits de mer et les algues marines ;

- la vitamine C : les agrumes, le cantaloup, les baies, la papaye, le chou, la feuille de moutarde, le persil, le poivron, l'avocat, les légumes verts, l'oignon et la tomate ;

- la vitamine E : l'œuf, les abats, les huiles pressées à froid, les légumes vert foncé, la patate douce, les noix, les graines, les légumineuses, les céréales entières, le germe de blé et les algues marines.

Le calcium, le magnésium et le manganèse

Des déficiences en calcium, en magnésium ou en potassium peuvent interférer avec la capacité des cellules à bien absorber les nutriments et les hormones. Une carence d'un de ces trois oligoéléments peut nuire à la production d'hormones thyroïdiennes en empêchant les cellules d'absorber adéquatement les nutriments précurseurs nécessaires à leur fabrication. De même, une carence en manganèse, bien que très rare, peut réduire l'activité thyroïdienne, car cet oligoélément est, lui aussi, essentiel à la formation de la thyroxine.

Le calcium peut nuire à l'absorption des substituts thyroïdiens ; il faut donc espacer les dosages d'au moins quatre heures. Pour assurer une bonne assimilation du calcium, il est nécessaire de le prendre avec du magnésium, à un ratio de 2:1. On estime que 1000 mg de calcium par jour est suffisant pour la plupart des gens, excepté durant la grossesse, la postménopause et chez les personnes âgées qui peuvent en prendre jusqu'à 1500 mg quotidiennement. Il est préférable de le prendre avec les repas en petites doses ne dépassant pas 500 mg.

La vitamine D aide à maintenir un taux stable de calcium dans le sang et est indispensable à son absorption. Sa carence peut entraîner une augmentation des concentrations d'hormones parathyroïdiennes et accroître le risque d'ostéoporose. La vitamine D est aussi nécessaire à la production de la thyréostimuline (TSH) par l'hypophyse. Elle est synthétisée par le corps lorsque la peau est exposée au soleil. On remarque d'ailleurs qu'il y a un plus grand nombre de gens souffrant d'hypothyroïdie et de thyroïdite d'Hashimoto dans les régions nordiques où le nombre d'heures d'ensoleillement est moindre. Le dosage quotidien de vitamine D s'établit entre 200 à 400 UI; un supplément de calcium bien équilibré devrait en contenir.

Voici les sources alimentaires suggérées pour:

- le calcium: les produits laitiers, le saumon avec les os, la sardine, les fruits de mer, les légumes à feuillage vert, la noix du Brésil, l'amande, la graine de tournesol, le tofu, la mélasse noire, la levure de bière, l'asperge, l'avoine, la figue, le pruneau et les algues marines;

- le magnésium: le tofu, les céréales entières, la levure de bière, les légumes verts, les noix, les graines, les légumineuses, les produits laitiers, le poisson, les fruits de mer, l'avocat, l'abricot, la banane, la figue, la pêche, la mélasse noire, l'ail et le varech;

- le manganèse: les céréales entières, les noix, les graines, les fruits séchés, le jaune d'œuf, les algues marines, les légumineuses, les légumes verts, l'avocat, le bleuet et l'ananas;

- la vitamine D: les huiles de foie de poisson, les poissons gras d'eau salée, les produits laitiers, le jaune d'œuf, l'avoine, la luzerne et la patate douce.

Les acides gras essentiels

Les acides gras essentiels (AGE) sont vitaux à la santé et au bon fonctionnement de la glande thyroïde. Inversement, le métabolisme des acides gras est perturbé par l'hypothyroïdie. Ils sont dits «essentiels», car le corps humain est incapable de les synthétiser; ils doivent provenir de l'alimentation ou de suppléments. Comme beaucoup d'hypothyroïdiens font face à un surplus de poids, les régimes sans gras font fureur, mais au détriment des acides gras essentiels et de la santé en général.

En vérité, les acides gras favorisent la perte de poids en diminuant la production de gras dans l'organisme et en accélérant le métabolisme des lipides. Les oméga-3 et les oméga-6 assurent la formation et l'intégrité des membranes cellulaires, incluant celles de la glande thyroïde. Une déficience en acides gras essentiels peut mener à une détérioration de la membrane cellulaire; la cellule opposerait alors une certaine résistance à l'hormone thyroïdienne.

Les acides gras essentiels agissent aussi sur d'autres manifestations de l'hypothyroïdie telles que les cheveux secs et cassants, la peau sèche, le syndrome prémenstruel et les douleurs articulaires. Idéalement, le rapport oméga-6 et oméga-3 devrait être entre 2 et 4:1; cependant, on estime que l'alimentation occidentale offre plutôt un ratio de 10 à 30:1.

On trouve des acides gras oméga-6 dans la plupart des huiles (onagre, bourrache, lin, chanvre), les noix, les graines, les viandes et l'œuf, alors que les acides gras oméga-3 proviennent des graines de citrouille, de tournesol et de lin, des huiles de lin, de chanvre, de canola, de germe de blé et de soya, de la noix de Grenoble, des poissons d'eau froide (saumon, maquereau, hareng, thon), des suppléments d'huile de poisson, des fruits de mer et du krill. On en recommande de 500 à 1500 mg par jour.

Une alimentation saine et l'ajout de suppléments nutritionnels adéquats permettent de répondre aux besoins de l'organisme en souffrance. La personne fatiguée par sa bataille avec
l'hypothyroïdie pourrait grandement profiter de quelques nutriments clés. Celle qui se trouve sur le chemin de l'hypothyroïdie
subclinique a peut-être encore une chance de rétablir l'équilibre
dans son organisme et d'éviter ainsi la «p'tite pilule à vie». Et
pour toutes les personnes qui vont bien, dont les tests sont tout
à fait normaux mais qui ont des antécédents familiaux de maladies thyroïdiennes, comme le dit l'adage: «Une once de prévention vaut son pesant d'or!»

Conclusion

Le docteur Broda Barnes a dédié une grande partie de sa vie à étudier et à traiter l'hypothyroïdie. Après plus de 50 ans de recherches, il est devenu et est encore considéré à ce jour comme une autorité dans ce domaine. Après toutes ces années, il est enfin parvenu à convaincre certains autres médecins que la glande thyroïde pouvait effectivement être responsable pour toute une myriade de symptômes. Alors, comment est-ce possible qu'en 2009 les gens doivent encore s'évertuer à se faire entendre par certains praticiens, alors que leurs symptômes bien réels sont repoussés du revers de la main?

Même si on connaît maintenant l'implication vitale de cette petite glande, les spécialistes de la santé semblent encore hésitants quand vient le temps de la traiter. Malgré les changements apportés aux normes d'évaluation de la TSH en 2003 par l'American Association of Clinical Endocrinologists, ces nouvelles valeurs ne sont toujours pas respectées. Des personnes, souvent épuisées par leur combat avec l'hypothyroïdie, doivent attendre pendant des mois, voire des années, avant de recevoir les soins appropriés; en fait, elles doivent souvent se résigner à attendre que leurs résultats sanguins défaillants attirent l'attention du médecin traitant.

Voilà exactement où en est rendue Macha, celle dont l'histoire est décrite au début du chapitre 7. Lorsque nous l'avons laissée il y a de cela plusieurs mois, elle s'efforçait de mener une vie aussi normale que possible en limitant au maximum toutes les activités qui pouvaient lui demander un surplus d'énergie. Toujours aussi fatiguée, elle suit fidèlement toutes les recommandations médicales qu'on lui a faites. N'empêche qu'avec trois enfants et un emploi à temps plein, les périodes de lâcher-prise sont plutôt rares. Durant cet intervalle, des douleurs articulaires aux doigts, aux poignets et à un pied sont devenues persistantes au point de l'amener à en parler à son omnipraticien au cours d'un suivi de routine. Par la suite, elle a rendu une visite à un rhumatologue qui a diagnostiqué une arthrite probablement associée à sa maladie de Crohn et qui lui a prescrit deux nouveaux médicaments et de l'acide folique pour éviter les complications dues à ceux-ci.

On a découvert aussi que la valeur glycémique de Macha que l'on surveillait depuis plusieurs mois était rendue au stade où il lui fallait un hypoglycémiant oral. Coup sur coup, elle a dû assumer deux nouveaux diagnostics: l'arthrite et le diabète. S'inquiétant toujours de sa grande fatigue, elle s'est informée de sa glande thyroïde. Alors qu'à sa dernière visite son taux de TSH était de 4,0, il s'affichait maintenant à 5,35. Son médecin a décidé qu'elle ne nécessitait pas de médicament avant 5,5, malgré la panoplie de manifestations physiques et émotionnelles dont elle souffrait et qui pourraient être liées à la thyroïde. Il lui a accordé tout de même un petit répit; elle pourra refaire les tests d'ici quelques mois. Macha a dû se résigner à l'incompréhension et attendre ses prochains résultats même si elle est foncièrement convaincue que sa thyroïde peut être en cause.

Un suivi chez le rhumatologue quelques mois plus tard lui a révélé que les marqueurs sanguins qui indiquent l'inflammation des articulations persistaient. Une scintigraphie osseuse s'est imposée. Une visite chez le gastroentérologue prévue pour le lendemain l'informe que sa maladie de Crohn pourrait s'être réactivée et qu'elle nécessite une échographie d'urgence. Bien que l'état du petit intestin semble assez stable, l'examen a exposé deux nouveaux problèmes, soit la présence d'un calcul rénal et deux petits fibromes utérins.

Est-il possible que certains de ces symptômes soient aggravés par une hypothyroïdie même subclinique? Comment le savoir alors que les spécialistes traitant Macha se concentrent sur leur domaine d'expertise et refusent de partager ses inquiétudes face à ce qui pourrait facilement être des manifestations d'hypothyroïdie? Nous ne pouvons que remercier Macha de son touchant témoignage et lui souhaiter bonne chance dans ses démarches futures.

Plusieurs victimes d'hypothyroïdie avouent que même si elles ne savaient pas le pourquoi de la chose, elles ne se sentaient plus comme elles-mêmes depuis assez longtemps. Peu à peu, de façon insidieuse, les symptômes d'hypothyroïdie s'installent et en viennent à prendre toute la place. Si la fatigue, les émotions à fleur de peau et le sentiment de ne plus être bien avec soi-même n'étaient pas assez difficiles à supporter, que dire lorsque le miroir nous renvoie un nouveau look pas du tout à notre goût! Bien que cette description soit assez classique, n'oublions pas que l'hypothyroïdie peut se manifester de bien d'autres façons.

Pour certaines de ces personnes, la vie reprendra son cours normalement à l'ajout du bon traitement. Pour d'autres, le chemin sera plus ardu, mais chacune aurait intérêt à réviser l'aspect émotionnel de la maladie. L'hypothyroïdie est souvent liée à un sentiment d'étouffement, une impression d'être victime de sa vie. La personne ne se sent pas le courage d'exiger ce qu'elle désire vraiment, de créer sa vie. Elle a le goût d'abandonner la bataille tant elle est insatisfaite, découragée d'attendre en vain son tour. La cible typique a tendance à ressasser les problèmes de sa vie, les échecs, les peurs, en mettant l'accent sur le négatif. Les idées noires et le stress ainsi généré épuisent la glande thyroïde et l'entraînent vers un déséquilibre progressif.

L'hypothyroïdie, franche ou subclinique, pourrait bien être la cause cachée de la grande fatigue qui semble affliger tant de gens de nos jours. Le manque d'énergie, qui prend l'allure d'une pandémie, pourrait-il être lié, dans certains cas, à une déficience thyroïdienne? Plusieurs experts sont convaincus que le bilan réel de l'hypothyroïdie compte beaucoup plus de victimes que le nombre que l'on connaît.

Nous espérons que les informations et les conseils prodigués tout au long de ce livre ont su vous aider à mieux comprendre et à gérer l'hypothyroïdie ainsi qu'à cheminer vers le mieux-être.

Notes

1. *Tendances pharmaceutiques : les 50 médicaments les plus prescrits au Canada en 2006*, IMS Health, Canada, CompuScript, 2007.

2. *Tendances pharmaceutiques : les 10 médicaments les plus prescrits au Canada par spécialité en 2006*, IMS Health, Canada, CompuScript, 2007.

3. www.santeontario.com (Synthroid).

4. Mary J. Shomon, *Living Well With Hypothyroidism*, HarperCollins Publishers, 2005, p. 110-113.

5. *Id.*

6. Partenaires pharmaceutiques du Canada, www.ppcdrugs.com/fr/products/product_inserts/FR_Web_Insert_Levothy_NL.pdf.

7. Thyroid Foundation of America, *Thyroid Disorders and Treatments, Treatments, Factors That Influence Levothyroxine Dose*, www.tsh.org.

8. Ken Blanchard, Mariella Abrams Brill, *What Your Doctor May Not Tell You About Hypothyroidism*, Warner Wellness, 2004, p. 17-18.

9. *Clinical Endocrinology* (Oxford), mars 2007, 66(3), p. 309-321.

10. R. Krysiak, B. Okopien, Z. S. Herman, *Postpartum Thyroiditis*, Pol Merkur Lekarski, juin 2006, 20(120), p. 721-726.

11. Ridha Arem, *The Thyroid Solution*, Ballantine Publishing Group, 1999, p. 211-212.

12. A. Badawy, O. State, S. Sheref, «Can Thyroid Dysfunction Explicate Severe Menopausal Symptoms?», *Journal of Obstetrics and Gynaecology*, juillet 2007, 27(5), p. 503-505.

13. Organisation mondiale de la santé, *La carence en iode peut-elle réellement provoquer des lésions cérébrales?*, 2005.

14. International Council for Control of Iodine Deficiency Disorders (ICCIDD), «Ethiopia Remains Severely Iodine Deficient», *IDD Newsletter*, février 2007, vol. 23, n° 1.

15. Carolyn Becker, «Iodine Deficiency: A Continuing Worldwide Health Problem», *Thyroworld*, été 2007.

16. Arnold Timmer, «Eliminating Iodine Deficiency in Central Eastern Europe, Commonwealth of Independent States and the Baltic States», *IDD Newsletter*, novembre 2004, vol. 20, n° 4.

17. B. Tüysüz, D. B. Beker, «Thyroid Dysfunction in Children With Down's Syndrome», *Acta Paediatric*, décembre 2001, 90 (12), p. 1389-1393.

18. O. Kordonouri, A. Klinghammer, E. B. Lang, *et al.*, «Thyroid Autoimmunity in Children and Adolescents With Type 1 Diabetes: A Multicenter Survey», *Diabetes Care*, 2002, 25, p. 1346-1350.

19. Cesare Carani, Andrea M. Isidori, Antonio Granata, Eleonora Carosa, Mario Maggi, Andrea Lenzi, Emmanuele A. Jannini, «Multicenter Study on the Prevalence of Sexual Symptoms in Male Hypo- and Hyperthyroid Patients», *The Journal of Clinical Endocrinology Metabolism*, 2005, vol. 90, n° 12, p. 6472-6479.

20. G. E. Krassas, N. Pontikides, «Male Reproductive Function in Relation With Thyroid Alterations», *Best Practice and Research Clinical Endocrinology Metabolism*, juin 2004, 18(2), p. 183-195.

21. S. Mariotti S., V. M. Cambuli, «Cardiovascular Risk in Elderly Hypothyroid Patients», *Thyroid*, novembre 2007, 17(11), p. 1067-1073.

22. «L'hypothyroïdie chez le chien», www.canina.be.

23. R. Malik, H. Hodgson, «The Relationship Between the Thyroid Gland and the Liver», *International Journal of Medicine (QJM)*, septembre 2002, 95(9), p. 559-569.

24. M. J. Huang, Y. F. Liaw, «Clinical Associations Between Thyroid and Liver Diseases», *Journal of Gastroenterology and Hepatology*, mai-juin 1995, 10(3), p. 344-350.

25. L. D. Willett, C. A. Huseman, *et al.*, «Theophylline Treatment in the Neonate With Apnea: Effect on Growth Hormone, Thyroid Hormone and TRH Induced TSH Secretion», *Dev Pharmacol Ther*, 1987, 10(2), p. 73-80.

26. I. Munteanu, C. Didilescu, «Chemistry and Toxicology of Cigarette Smoke in the Lungs», *Pneumologia*, janvier-mars 2007, 56(1), p. 41, 43-46.

27. D. Kapoor, T. H. Jones, «Smoking and Hormones in Health and Endocrine Disorders», *Eur J Endocrinol*, avril 2005, 152(4), p. 491-499.

28. P. Laurberg, S. B. Nøhr, K. M. Pedersen, E. Fuglsang, «Iodine Nutrition in Breast-Fed Infants Is Impaired by Maternal Smoking», *Journal of Clinical Endocrinol Metab*, janvier 2004, 89(1), p. 181-187.

29. P. Valeix, P. Faure, S. Bertrais, A. C. Vergnaud, *et al.*, «Effects of Light-to-Moderate Alcohol Consumption on Thyroid Volume and Thyroid Function», *Clinical Endocrinology* (Oxford), novembre 2007, p. 17.

30. T. A. Cudd, W. J. Chen, J. R. West, «Fetal and Maternal Thyroid Hormone Responses to Ethanol Exposure During the Third Trimester Equivalent of Gestation in Sheep», *Alcoholism: Clinical Experimental Research*, janvier 2002, 26(1), p. 53-58.

31. Joseph E. Pizzorno, Michael T. Murray, *Textbook of Natural Medicine*, Churchill Livingstone, 2006, p. 345-346.

32. Santé Canada, *Produits ignifuges à base de PBDE et santé humaine*, 2006.

33. N. Osius, W. Karmaus, H. Kruse, J. Witten, «Exposure to Polychlorinated Biphenyls and Levels of Thyroid Hormones in Children, *Environ Health Perspectives*, octobre 1999, 107(10), p. 843-849.

34. American Dental Association, *Interim Guidance on Reconstituted Infant Formula*, novembre 9, 2006.

35. U. S. National Academy of Sciences, *Fluoride in Drinking Water: A Scientific Review of EPA's Standards*, mars 2006, p. 218.

36. H. D. Abdullatif, A. P. Ashraf, «Reversible Subclinical Hypothyroidism in the Presence of Adrenal Insufficiency», *Endoc Pract*, septembre-octobre 2006, 12(5), p. 572.

37. P. Collin, K. Kaukinen, *et al.*, «Endocrinological Disorders and Celiac Disease», *Endocr Rev*, août 2002, 23(4), p. 464-483.

38. M. Soy, S. Guldiken, E. Arikan, *et al.*, «Frequency of Rheumatic Diseases in Patients With Autoimmune Thyroid Disease», *Rheumatol Int*, avril 2007, 27(6), p. 575-577.

39. J. E. Pizzorno, M. T. Murray, *Textbook of Natural Medicine*, Churchill Livingstone, 2006, p. 1671-1676.

40. L. J. Jara, C. Navarro, *et al.*, «Thyroid Disease in Sjögren's Syndrome», *Clin Rheumatol*, octobre 2007, 26(10), p. 1601-1606.

41. R. Arem, *The Thyroid Solution*, Ballantine Publishing Group, 1999, p. 93.

42. F. Sintzel, M. Mallaret, *et al.*, «Potentializing of Tricyclics and Serotoninergics by Thyroid Hormones in Resistant Depressive Disorders», *Encephale*, mai-juin 2004, 30(3), p. 267-275.

43. C. Almeida, *et al.*, «Subclinical Hypothyroidism: Psychiatric Disorders and Symptoms», *Rev Bras Psychiatric*, juin 2007, 29(2), p. 157-159.

44. D. V. Iosifescu, A. A. Nierenberg, *et al.*, «An Open Study of Triiodothyronine Augmentation of Selective Serotonin Reuptake Inhibitors in Treatment-Resistant Major Depressive Disorder», *J Clin Psychiatry*, août 2005, 66(8), p. 1038-1042.

45. C. Fox, M. J. Pencina, *et al.*, «Relations of Thyroid Function to Body Weight: Cross-Sectional and Longitudinal Observations in a Community-Based Sample», *Archives of Internal Medicine*, mars 2008, 168(6), p. 587-592.

46. J. E. Pizzorno, M. T. Murray, *Textbook of Natural Medicine*, Churchill Livingstone, 2006, p. 1795-1796.

47. J. Hamann, «Qui ne dort pas grossit? Le manque de sommeil est associé au surplus de poids», *Au fil des événements, Journal de l'Université Laval*, 14 avril 2005.

48. Karine Spiegel, Esra Tasali, *et al.*, «Sleep Curtailment in Healthy Young Men Is Associated With Decreased Leptin Levels, Elevated Ghrelin Levels, and Increased Hunger and Appetite», *Annals of Internal Medicine*, 2004, 141, p. 846-850.

49. S. E. Swithers, T. L. Davidson, «A Role for Sweet Taste: Calorie Predictive Relations in Energy Regulation by Rats, *Behavioral Neuroscience*, février 2008, vol. 122, n° 1, p. 161-173.

50. B. Corvilain, «Physiopathologie du goitre endémique», *Louvain médical*, 2000, vol. 119, n° 7, p. 297-300.

51. R. Gärtner, B. C. Gasnier, *et al.*, «Selenium Supplementation in Patients With Autoimmune Thyroiditis Decreases Thyroid Peroxidase Antibodies Concentrations», *Journal of Clinical Endocrinol Metab*, avril 2002, 87(4), p. 1687-1691.

52. C. Maxwell, S. L. Volpe, «Effect of Zinc Supplementation on Thyroid Hormone Function: A Case Study of Two College Females, *Ann Nutr Metab*, 2007, 51(2), p. 188-194.

53. M. B. Zimmermann, J. Köhrle, «The Impact of Iron and Selenium Deficiencies on Iodine and Thyroid Metabolism: Biochemistry and Relevance to Public Health», *Thyroid*, octobre 2002, 12(10), p. 867-878.

54. A. Jabbar, A. Yawar, *et al.*, «Vitamin B_{12} Deficiency Common in Primary Hypothyroidism», *J Pak Med Assoc*, mai 2008, 58(5), p. 258-261.

Bibliographie

AMERICAN THYROID ASSOCIATION. Public and Patients, Patient Education Web Brochures, ATA Hypothyroidism Booklet, www.thryoid.org.

AMERICAN THYROID ASSOCIATION. Public and Patients, Patient Education Web Brochures. Thyroid Hormone Treatment, www.thyroid.org.

APPLETON, Nancy. *Lick the Sugar Habit*, Avery, 1996.

AREM, Ridha. *The Thyroid Solution*, Ballantine Publishing Group, 1999.

Atlas du corps humain et de la sexualité, Éditions Sans Frontière, 1991.

BALCH, Phyllis A. *Prescription for Nutritional Healing*, Avery, 2002.

BEAULIEU, Marie-Dominique. *Dépistage de l'hypothyroïdie congénitale*, Agence de la santé publique du Canada, 2006.

BENOIST De, Bruno. *L'élimination mondiale de la carence en iode est à notre portée*, Organisation mondiale de la santé, 2004, www.who.int.

BLANCHARD, Ken et ABRAMS BRILL, Marietta. *What Your Doctor May Not Tell You About Hypothyroidism*, Warner Wellness, 2004.

BROSSARD, Jean-Hugues. *La thyroïde... au ralenti!*, conférence au Symposium de l'Association des médecins de langue française au Canada, 2006.

CHAPUT, Mario. *Les solutions à la fibromyalgie et au syndrome de fatigue chronique*, Éditions Quebecor, 2006.

Compendium des produits et spécialités pharmaceutiques, Association pharmaceutique canadienne, 30ᵉ édition, 1995.

DAYAN, Colin M. *La T3, pour qui?*, Thyroid Eye Disease Association, bulletin 60, 2004.

DERVAUX, Jean-Loup. *La glande thyroïde en questions*, Éditions Dangles, 2006.

DIAMOND, John W., COWDEN, Lee W. et GOLDBERG, Burton. *An Alternative Medicine Definitive Guide to Cancer*, Future Medicine Publishing Inc., 1997.

DUPONT, Paul. *Les glandes endocrines et notre santé*, Diffusion Rosicrucienne, 1997.

EDMONDS, Merrill W. «Fatigue, Weight Gain, and the Thyroid (Or Is the Thyroid Why I Am so Tired and Can't Lose Weight?)», *Thyrobulletin*, vol. 19, nᵒ 3, 1998.

FELDMAN, Martin et NULL, Gary. *Are You Tired? Low Thyroid May Be the Culprit*, www.gary.null.com.

GARREL, Dominique. «L'hypothyroïdie sans symptômes», *Châtelaine*, mai 2007.

GARRISON, H. Robert, SOMER, Elizabeth. *The Nutrition Desk Reference*, Keats Publishing, 1990.

HAMANN, Jean. «Qui ne dort pas grossit? Le manque de sommeil est associé au surplus de poids», *Au fil des événements, Journal de l'Université Laval*, 14 avril 2005.

HAY, Louise, L. *Heal Your Body,* Hay House Inc., 1988.

HORNE, Steven H. «Thyroid Hormones», journal électronique de *Nature's Field*, janvier 2006, vol. 22, n° 1.

HORNE, Steven H., BALAS, Kimberly. «Iodine Robbers», journal électronique de *Nature's Field*, janvier 2006, vol. 22, n° 1.

INTELIHEALTH. *Health A-Z, Hypothyroidism*, Aetna Intelihealth, www.intelihealth.com.

KRAW, Maria. «L'auto-immunité thyroïdienne et la reproduction», *Endocrinologie*, conférences scientifiques, vol. 6, n° 9, novembre 2006.

LARK, Susan. *The Hidden Cause of Weight Gain and Fatigue,* Women's Wellness Today, 2007.

LEE, John R. *What Your Doctor May Not Tell You About Menopause,* Warner Books Inc., 1996.

LICHTMAN, Marshall A., WILLIAMS, W. Joseph, *et al. Williams Hematology,* McGraw-Hill Professional, 2005.

MARIEB, Élaine N. *Anatomie et physiologie humaines,* Éditions du renouveau pédagogique inc., 1993.

MEGLIOLI, Véronique. *La thyroïde, soignez-la*, Delville, 2006.

Merck Manual of Medical Information, Second home edition, Pocket Book, 2003.

MERCK THYROLINK. *Thyroid History, Annual Report on the Year 1894: Thyroidinum Siccatum,* www.merck-oncology.com.

MIRSKY, Steve. *Thyroid Disease Hits Cats Exposed to Fire-Retardants,* Scientific American Publications, 2007.

NYS, Pierre. *Et si c'était la thyroïde?*, Presses de Châtelet, 2002.

O'SHAUGHNESSY, Micheline. «L'hypothyroïdie fonctionnelle, un problème difficile à diagnostiquer», *L'Émeraude*, avril-mai 2006.

PERROS, Petros. *Well-Being of Patients on Thyroid Hormones*, Conférence au Congrès international sur la thyroïde, Istanbul, septembre 2004.

PIZZORNO, Joseph E., MURRAY, Michael T. *Textbook of Natural Medicine*, 3e edition, Churchill Livingstone, 2006.

PORTMANN, Luc, GIUSTI, Vittorio. « Obésité et hypothyroïdie: mythe ou réalité? », *Revue médicale suisse*, n° 105.

RONA, Zoltan. *Encyclopedia of Natural Healing*, Alive Publishing Inc., 1997.

SHOMON, Mary, J. *Caffeine, Calcium and the Thyroid: Nutritional Linkages to Thyroid Disease and Thyroid Drugs*, www.thyroid-info.com.

SHOMON, Mary J. *Living Well With Hypothyroidism*, Collins, 2005.

STÜRZINGER, Martin. *Vitiligo et thyroïde: utilité de contrôles réguliers*, Société suisse du psoriasis et du vitiligo, 2003.

Vitamines et minéraux: comment les utiliser, Éditions Goélette, 2001.

WALFIS, Paul G. *Affections thyroïdiennes chez les personnes âgées*, dépliant de la Fondation canadienne de la thyroïde, 2000.

WHITAKER, Dr Julian. *Whitaker's Guide to Natural Healing*, Prima Publishing, 1995.

WILSON, James L. *L'adrénaline – Trop, c'est trop!*, Éditions Le Mieux-Être, 2006.

Adresses Internet utiles

www.thyroid.ca (Fondation canadienne de la thyroïde)
www.thyroid.org (American Thyroid Association)

Table des matières

Achevé d'imprimer au Canada
sur papier Enviro 100 % recyclé
sur les presses de Imprimerie Lebonfon Inc.

certifié   procédé   100 % post-   archives   énergie
            sans   consommation   permanentes biogaz
            chlore